生成AIをめぐる攻防

Google vs Microsoft

京都大学経営管理大学院 客員教授 山本康正

日本経済新聞出版

はじめに

２０２４年2月15日に衝撃的な動画が世界中で拡散されました。なぜ衝撃かというと、一見実写に見える動画が、生成ＡＩで作成されたと発表されたのです。このサービスはオープンＡＩという米国のスタートアップ組織がＳＯＲＡ（日本語の「空」）として名付け発表されました。

ChatGPTで２０２２年11月30日に世界を驚かせたオープンＡＩが約1年後にまたしても衝撃を与えたのです。なぜ衝撃が大きかったかというと生成ＡＩは自然な画像は作成できても、まだ自然な動画は難しいのではとの意見が多かったからです。たしかに、よく見ると不自然に思える箇所が散見されたり、生成ＡＩへの指示文でどこまで修正可能かは不明ですが、ぱっと見て違和感を感じるほどではありません。

生成AI「SORA」で作られた動画

世界の技術的な進化は加速度的に進んでいます。この速度が遅くなることは何らかの特別な事象が起こらない限りおそらくないでしょう。いつか、まとめて勉強して追いつこうというのは理にかなっていません。常に学び続けなければならないのです。

技術への理解の重要性は、英語に似ています。英語ができると世界が広がり、様々なチャンスも広がりますが、できなければ大きな機会損失につながります。気をつけなければならないのは、情報の非対称性が生み出すバイアス（偏見）です。

英語ができない人は、その機会損失の大きさそのものに気づかないので、正確な費用対効果（コストパフォーマンス）を算出できず、過小に英語を評価してしまうという負のスパイラルに陥ってしまいます。

技術への理解も同じことです。データは重要な資産だと聞いてピンとこなかったり、生成ＡＩでどう生産性を向上させるかを直感的にイメージできなければ、その機会を過小評価し、いつまでも新しい抜本的な施策や体制変更を後回しにしてしまいます。

生成ＡＩの仕組みはデータサイエンスの理解があれば格段にわかりやすくなります。データサイエンスは数学、特に確率・行列・統計の知識です。高校で学べる範囲もあります。

「高校で数学を学んでも仕事で使う機会はないから無駄だ」という意見を聞くことがないでしょうか。これは先ほどの過小評価の事例と同じことです。確率・行列・統計の知識があれば、先端の人工知能の開発に加わることができ、その知識の仕事での価値を十分に感じることができます。しかし、そもそもその土台に立つ機会は十分な数学の知識がなければ、限りなく少なくなります。

英語では通訳という手段がありました。しかし、これは長期的な解決策にはなりえません。通訳に頼りっぱなしになってしまい、国際会議で通訳を使う先進国は日本だけという状況がこの２０２０年代でも起こっています。人間対人間のコミュニケーションは、いかに本音を語れるかが重要な要素になっています。何気ない夕食会で、通訳を使ってでしかコミュニケーションが取れない人と、英語で十分にコミュニケーションできる人物なら、他の条件が同じと仮定すればどちらの人が信頼を勝ち取るでしょうか。今は一回の会議で１００万円以上もかかる同時通訳から数万円程度で人工知能を活用した翻訳アプリに移行しつつありますが、それでも自身で喋れる方がメリットがあるわけです。

先端技術ではコンサルティング会社や外部業者に開発を外注するという手段がありますが、これは通訳と同じことです。頼りっぱなしでは、自分たちに技術のリテラシーが身につきません。あくまでも一時的な手段として活用しなければなりません。特に、開発は外注したら、そこから抜け出すことが困難になります。結局は自分たちでエンジニアを雇い、内製化し、自分たちでビジョンを提示しなければならないのです。

なぜビジョンが大事なのか。それはベンチャーを買収や提携をしようとしてみると分かることでしょう。たとえ規模が小さくとも、技術最前線のビジネスを動かしている社長は十分に技術ビジネスを見通しています。もし、その勢いある会社と提携や買収を試みたいとすると、競合する大企業は多く存在します。

大企業の部長とベンチャーの社長が話すというのは、うまくいかない可能性が高くなるでしょう。なぜなら、ベンチャーの将来がかかっている提携や買収であれば、社長が出てこない大企業を選ぶ理由はよほどの価格差がなければないからです。さらに、大企業から社長が出てきたとしても将来の技術によるビジネスの考え方が一致しなければ意義ある提携や買収には結びつきません。日本はベンチャーのイグジット（出口）として、上場と売却で言えば、大半が上場になっており、売却がほとんどありません。米国は逆に売却がほとんどです。

そのため、大企業側が技術を組み込んだビジョンを提示するメリットを感じられず、さらに負のスパイラルに陥るという構造になってしまっています。

外部から技術に詳しい人をＣＴＯ（最高技術責任者）として雇ったり、取締役会に加えるというやり方も考えられます。しかし、これだけでは大きな効果は期待できません。サッカーに例えるならば、攻撃にスター選手を迎えても、それに合わせたチームのフォーメーション（体制）に組み替えなければ十分に活躍できない状態と同じです。

既存の企業の体制は、インターネットもスマートフォンもなく、年次で出世を決めていた高度経済成長の頃のものを継承しているところがまだ多くあります。しかし、当時と今では技術進化の速度や、変化の箇所が違います。経済が右肩上がりで技術進化の速度が遅く、スマホで連絡ができなかった頃には最適だった体制は、正確性を重視した点で良かった面もあるでしょう。

しかし、技術進化の速度が速く、スマホで全社員に連絡が取れる現代において、不確実性に如何に対応するかという機敏さや、柔軟性がこれまで以上に求められるのです。その要素を考えた上で、「もし会社をイチから作り直すとすれば」まで踏まえた組織体制にしなければ、アイデアはよくとも実現にはほど遠くなってしまうでしょう。

さらに言えば、4年以内に一度は組織体制を定期的に見直すぐらいのスピード感にならなければなりません。グーグルはオープンＡＩなどの生成ＡＩの勢いに追いつくために組織体制を変更しました。アップルは自動運転電気自動車の開発を断念しＡＩチームへ移管するという報道がされています。

組織体制はあくまでもビジネスを行うための手段であり、人事の目的になっては本末転倒なのです。いざ変わろうと思っても、普段から変化に慣れていない組織は足取りが重く、硬直化してしまっており肝心なときに必要な速度で変わることができません。１００年以上の歴史を持つ写真用品大手のコダックがスマートフォンの登場によって自分たちが危機であることに途中から気づいていたにもかかわらず、結果的に破産を申請したのは変化への対応の遅さが関係しています。

運動にたとえれば、普段から声掛けだけでなく、準備運動をしておかないといけないということです。

高い頻度で組織を変えていたら「迷走している」という印象を与えるかもしれないと危惧する方もいるでしょう。それは誰にメッセージを届けるかを考えなければなりません。日本企業であれば、同規模の他の日本企業ではありません。企業がメッセージを届けるべきなのは顧客であり、投資家であり社員です。投資家であっても現在の投資家だけでなく、将来の投資家へのメッセージが大きな影響を持つでしょう。日本では理解されなくとも、海外の投資家は面談などを通じて細かくリサーチをしています。世界基準でのテクノロジーの変化の流れに自社の強みをどう活かすかということを論理的に説明し、そのために必要な試行として頻度の高い組織体制の変更を説明することができれば新たな投資家を惹きつけることができます。

その上で、「日本のデジタル化は遅れている」というのは、コロナ禍前から言われてきたことでした。英語化が遅れていることと同じです。しかし、英語と違うのは事態はさらに深刻化していることです。現在の日本はすでに「アルゴリズム敗戦」に突入していると言えるでしょう。

アルゴリズムとは問題解決のための計算・処理方法です。どのように論理的に思考すれば効率よく問題を解決できるのか。最新テクノロジーを活用して効率的にゴールに到達できるのか。

GAFAMと呼ばれるビッグテックに代わり、より正確で、より効率的なアルゴリズムを見出したことで価値を発揮する新しい企業群であるGOMA（Google, OpenAI, Microsoft, Anthropic）が話題になっています。デジタルの先端と言えるアメリカで熾烈なアルゴリズムの競争が起こっている中、日本は残念ながらその競争の入り口であり、前提条件であるデジタル化で躓いている状況と言えるでしょう。

しかし、変化に乗り遅れたからといって、追いつけないわけではありません。かつてマイクロソフトは、「Windows」によってPCのOSで圧倒的シェアを収めながらも、2000年代以降はモバイル化・クラウド化の波に乗り遅れて失速しました。創業者であるビル・ゲイツ氏の後継として2代目CEOになったスティーブ・バルマー氏が、テクノロジーのトレンドを読み違えたのです。窮地を救ったのは2014年に3代目CEOに就任したサティア・ナデラ氏でした。ナデラ氏はマイクロソフトがそれまで固執してきたライセンスビジネスに見切りをつけました。「独占」「内製」を主軸にしてビジネスを展開していくことは、もはや不可能に近いと悟ったのでしょう。近年はオープンAIと提携することで、生成AIブームにも見事に乗っています。

このように様々なベンチャーと提携するオープンイノベーションの体制に切り替え、売り切りのソフトウェアからサブスクリプション（定期購買）へビジネスモデルを刷新したこともあり、株価は新体制以降に10倍以上になり、アップルを抜いて上場している企業で世界最大の時価総額に返り咲きました。

マイクロソフトの例からもわかるように、アルゴリズムの世界の競走においてはオープンイノベーションへのシフトが成功の鍵を握っています。生成ＡＩの未来を握るＧＯＭＡの４社間などでトップ人材が流動的に行き交っている様子を見ても、それは明らかでしょう。

オープンＡＩが２０２４年２月に公開した動画生成モデル「ＳＯＲＡ」の高いクオリティを見て、自著『２０２５年を制覇する破壊的企業』で予測した未来が予想よりも少し早く到来していることを実感しました。生成ＡＩが話題になった当初、「動画はさすがに難しいはずだ」と予測していた専門家の多くは、ＳＯＲＡの精度の高さ、違和感のなさに驚きを感じています。オープンイノベーションがテクノロジーの進化を加速させているのです。

では、アルゴリズム敗戦を迎えた日本企業は、ここからどうすればトレンドの波に追いつけるのでしょうか。

ここまで差をつけられた以上は、多少なりとも大胆な手を取らなければトップ企業には到底追いつけなくなりつつあります。一歩ずつ堅実に積み上げるのはもちろんですが、同時に後発性の利益とも言われるカエル跳び（リープフロッグ）で数段抜かして一気に最前線に追いつくビジネスモデルを取り入れる必要があります。

過去の試行錯誤を飛び越えて、先端の答えは見えつつあるため、それを確信を持って自分の戦略に取り込めば時間が節約できるのです。例えば、アラブ首長国連邦などの海外政府系機関はいち早く先端の海外企業や大学と提携しＡＩ技術開発センターを開設し、大規模投資をしつつ27歳のＡＩ担当大臣を任命しています。

日本企業は自分たちがどれだけのデータを手にしており、またどう活用していくべきか、との問いにもあらためて立ち戻るべきです。

「データは新しい石油」という表現がありますが、石油と違う点が多々あります。実際には、ただ扱えるデータが多ければ良いというわけではありません。日本の検索エンジン市場においてヤフーがグーグルに敗北したのは、把握していたデータ量の差ではありませんでした。ヤフーよりもグーグルのほうが、よりよいアルゴリズム、使い勝手の良いサービスを開発できたことも大きく関係しています。ビジネスの鍵を握るのは最終的にはアルゴリズムです。アルゴリズムを洗練させるためにデータ活用が重要になるという順序です。その洗練させるためのデータは、単に量よりも「頻度」や「鮮度」が重要になってきます。

イーロン・マスク氏がツイッター（現：X）に目をつけたのも、フレッシュな情報がリアルタイムで大量に流れてくる場だったことも関係しています。より新しいデータを高頻度に入手し続けること、その先に人工知能を活用するビジネスの可能性が開けることをマスク氏は十二分に理解しているのでしょう。もはやデータは事業を守り続けてくれるモート（ｍｏａｔ：堀）にはなりづらく、それよりも高性能なアルゴリズムを実現できる半導体を含めた計算環境や、高度なモデルを構築できる人材がビジネスの差別化の要因として大きくなりつつあります。

トレンドが移り変わるスピードは、人類史上いまが最も速いでしょう。一時期、日本でも流行した遺伝子検査サービスは、各社とも苦境に陥っています。米トゥエンティー・スリー・アンド・ミーは株価が1ドルを下回り、上場廃止が見込まれています。ソフトバンクグループが投資した米インビテは、一足先に破産申請が報道されました。遺伝子検査のようなタイプのビジネスは一見、貴重なデータに見えますが、ビジネスモデルにおいては「一回検査をして取得したデータをどう活用するか？」という考え方を取ると、一回きりの購買のビジネスモデルになり、定期購買のような形になりづらくなります。メディアでの論調にだけ流されると、その違いに気づきにくくなるのです。

よりよいアルゴリズムをつくれたものが生き残る。企業も、そして個々のビジネスパーソンもある意味、ビジネスにおいては最適解を追い求め続けています。その最適解は環境によって常に変動し続けます。

生成ＡＩの覇権争いが熾烈化している現在は、インターネット黎明期の有り様によく似ています。新しい技術をどこまでどう規制していいかは、どの国も手探り状態です。一方で、混沌として評価が定まらない黎明期だからこそ、目を凝らすだけでなく、アクションを複数回起こしたものが次のビジネスモデルの最適解をつかみやすくなります。検討を重ねて1回でチャンスを掴もうとするよりも、複数回アクションを起こし、そのうちの一つでも大きくなれば良いという、ベンチャー投資に通じる精神が必要になってきます。

新しいテクノロジーにキャッチアップし、データやその背後にあるアルゴリズムを見極め、自らの手を動かして活用していく。テクノロジーを知ることでしか、ビジネスの未来を切り開けない時代を私たちは生きています。

2024年4月
山本康正

CONTENTS

第2分野 半導体

第3分野

AR・VR端末

アップル vs メタ

第4分野

SNS

イーロン・マスク vs ザッカーバーグ

第5分野

AI規制

ビッグテック vs 規制当局

第6分野

テクノロジーの地政学

米国 vs 中国

第7分野

無人タクシー・EV
モビリティスタートアップ vs 自動車メーカー

※本書は、2023年2月から11月に日経電子版にて連載された「教えて山本さん！」および「やさしい経済学」を加筆修正のうえ単行本化したものです。

第1分野

生成AI

グーグル
VS
マイクロソフト

グーグルも生成ＡＩを世界展開

グーグルが恒例の開発者会議「Google I/O 2023」を２０２３年5月10日（米国時間）に開催しました。大方の予想通り注目が集まったのはＡＩ事業への注力です。外部サービスとの連携によるエコシステムの強化を打ち出しましたが、従来の発表との違いもありました。

グーグルのスンダー・ピチャイ最高経営責任者（ＣＥＯ）は基調講演で、「すべての人にＡＩをさらに役立つものに（Making AI more helpful for everyone）」と繰り返し強調しました。２０２２年11月30日にベータ版が発表された「ChatGPT」によって勢いを増すオープンＡＩとマイクロソフト陣営に対抗して、グーグルは出遅れた印象を払拭しようと従来以上にＡＩへの取り組みを重点的に発表しています。

グーグルはメールサービスのGmailやGoogle MAP、Google Photosに先端のＡＩ機能を付加したことをはじめ、モバイル機器のＰｉｘｅｌシリーズの新製品などにも注目が集まっています。しかし戦略の核となっているのは、オープンＡＩとマイクロソフト陣営が手掛けにくい外部サービスとの連携によるエコシステムの強化です。

日本では対話型ＡＩ「Bard（バード）」が日本語に正式対応した点に注目が集まっていましたが、ことさら日本だけが特例というわけではありません。日本語や韓国語を含む40の多言語への対応も発表しました。先行して日本語と韓国語への対応が強調されたのは、安全保障を含む国際的な情勢からグーグルとして日本や韓国とのパートナーシップやエコシステムの拡大を優先していると強調する意味として捉えることができるでしょう。

グーグルの対話型ＡＩであるBardは２０２４年の2月8日にはGeminiに名称を変更し、画像生成も手掛けるようになりました。

マイクロソフトは業務ソフト「Office（オフィス）」の新機能にChatGPTを統合し、

ExcelやWordを劇的に進化させました。同様にグーグルも業務ソフトの「Google Workspace（グーグル ワークスペース）」にGeminiを組み込むことによって、文書から図表、プレゼンテーション用資料まで一部自動生成できる進化を目指していくことが見込まれます。

モバイル分野ではグーグルに優位性

そこだけを見るとオープンＡＩとマイクロソフト陣営の後追いに過ぎないようにも見えます。しかし、もちろんグーグルならではの優位性もあります。

ChatGPTを擁するマイクロソフト陣営との最大の違いは、グーグルがモバイル機器のＯＳであるAndroid（アンドロイド）を擁していることです。モバイル端末でも快適に使えるＡＩのモデルを展開しやすい立場にあります。ライバルにはアップルの開発するiPhoneがありますが、アップルはＡＩに関しては遅れが目立ってきています。

２０２３年5月の年次開発者会議で発表されたグーグル独自の大規模言語モデル「PaLM 2」には「Gecko」「Otter」「Bison」「Unicorn」という4つの異なるサイズが用意されており、最も軽量な「Gecko」はモバイル端末やオフラインでも動作するとされている点が強みです。オンラインでの使用を想定しているChatGPTとは現時点で異なる点の一つでしょう。

これはGeminiに名称を変更したあとにも、「nano」「advanced」「ultra」と異なる種類を用意し続けています。

オンラインとオフライン、両方で使えるというメリットを打ち出し、アンドロイド端末のソフトには生成ＡＩを組み込んでいくことで、企業向け（B to B）と消費者向け（B to C）の両軸のマーケティングで市場を拡大する方針であることが予想されます。

主要な研究者は表舞台に立たず

一方で、肝心の先端ＡＩの研究者があまり発表の舞台に登場しなかったことにも注目です。Google I/O 2023が開催される9日前にＡＩ技術の一つであるディープラーニングなどの研究で著名なジェフリー・ヒントン氏がグーグルの職を辞していたことが明らかにされました。

ヒントン氏は２０１３年よりグーグルでＡＩの開発に携わってきた人物です。ヒントン氏はＡＩの発達が想定以上のスピードであり、その危険性について懸念しているとメディアで述べています。しかしグーグルは発表会で全く触れずじまいでした。

グーグルのＡＩ開発を統括するチーフサイエンティストのジェフ・ディーン氏や、グーグルの研究部門である「Google Research（グーグルリサーチ）」のＡＩ開発チーム「Brain（ブレイン）」と統合されるグーグルの親会社アルファベット傘下のＡＩ開発企業の英DeepMind（ディープマインド）の創設者であるデミス・ハサビスＣＥＯら、その他のＡＩ研究者たちの発表もなかったことは、これまでのGoogle I/Oでの発表の仕方と違いが生じているように思います。その後、ＡＩ研究者たちはグーグルを離れる動きも見せています。

日本企業の姿は見えず

視点を変えるとまた別の側面も見えてきます。グーグルは多数の外部サービスとの連携を発表したにもかかわらず、それらのパートナー企業の中に日本企業は残念ながら見当たりませんでした。基調講演での日本との主な接点はBardが日本語に対応した点であったというのは、オープンＡＩのサム・アルトマンＣＥＯによる日本への訪問に対抗するという意味合いもあると思われます。

しかし現時点では、日本の大企業が海外と連携できるほど十分に生成ＡＩに対する姿勢を打ち出せていないと見ることもできるでしょう。過熱する開発競争に日本企業が振り回されるのではなく、意義のある連携を進め、ＡＩを活用してどう本業を進化させていくか。歴史上かつてないスピードでＡＩが進化する時代の中で今後の動きが注目されます。日本では元グーグルの研究者が立ち上げたＡＩスタートアップであるSakana AIがＮＴＴやＫＤＤＩ、ソニーなどから45億円の資金調達をしたりと独自の動きが出てきています。

一方で、２０２４年2月28日には同じくグーグル出身者が立ち上げたフランスのＡＩスタートアップの「ミストラルＡＩ」がグーグルに続いてマイクロソフトとも提携を発表しており、競争がより複雑化、加速化しています。

独自のＡＩ戦略を打ち出すマイクロソフト

毎年5～6月はアップルやグーグルなどの世界的な巨大テクノロジー企業が主な新サービスや新製品を発表するイベントの時期です。新たなモバイル端末向けＯＳの仕様を発表したり、新製品の発売を公表したりします。そんな中で２０２３年のイベントが従来とは大きく変わったのがマイクロソフトです。

そもそもなぜこの時期に巨大テック企業のイベントが集中するのかというと、秋のセールに間に合わせるためです。米国などで新生活がスタートする時期に合わせて新しいＯＳを搭載したスマートフォンを発売するには、新しいＯＳ向けアプリなどの開発者に3カ月程度の余裕が必要になってくることに関連しています。新しいＯＳを搭載するモバイルの新端末も秋に発表することが多くなっています。

一方で、アマゾン・ドット・コムなどは他社の大規模な発表と重ならない秋に新商品やサービスを発表します。またメタ（旧・フェイスブック）はこれまで6月よりも少し早い5月に開発者向け年次イベント「F8」を開催していました。ただ近年のメタバースへの投資の不調を反映してか22年は開催せず、23年も開催予定が5月まで発表されませんでした。

様変わりしたマイクロソフト

そんな中で23年に大きな変化を示したのがマイクロソフトです。マイクロソフトは開発者向けの年次総会「Microsoft Build（マイクロソフトビルド）」を2017年から毎年5月に本社のある米シアトルで開催しています。新型コロナ禍でのオンライン開催を経て、4年ぶりにシアトルでの開催を再開しました。

マイクロソフトは顧客に法人が多いこともあり、近年は無難な発表であることが多かったのです。ところが23年は支援しているオープンＡＩが公表した対話型ＡＩのChatGPTや大規模言語モデルのGPT-4などが話題になったこともあり、マイクロソフトはオープンＡＩとの提携を通じて手にした生成ＡＩの技術を中心に開発を加速させる野心的な発表に変わっています。

顧客企業にとっても新興企業のオープンＡＩと直接やりとりをするよりは、既に取引関係の多いマイクロソフトを通じて生成ＡＩを事業活動に導入することのほうが抵抗感も少なくなります。

生成ＡＩを既存のソフトに組み込む動き

法人向けソフトウェア群の「Microsoft 365」や、クラウドサービスの「Microsoft Azure（アジュール）」を通じて生成ＡＩを活用していくという点はこれまでの発表通りでしたが、さらに踏み込んでＯＳの「Windows 11」にＡＩを組み込む「Windows

Copilot（ウィンドウズコパイロット）」を発表しました。企業の顧客向けにWordやExcel、PowerPointなどに生成ＡＩを投入したもので、単にワードやエクセルの個別のデータを活用するだけでなく、メールソフトのOutlookやビジネスチャットのTeamsなどのデータも活用できるため、より統合した環境で最適化ができます。

具体例を挙げるならば、「デスクトップの背景を変えて」「メールの返信文を作って」「音楽を流して」といった作業をいちいち個別のソフトを起動させなくてもチャット形式の気楽な指示でシームレスに行える、とイメージしてください。ソフトごとにデータを分けて扱うのではなく、カレンダーやメールなど、あらゆる機能を統合的に把握して対話型ＡＩがサポートしてくれることを目指しています。うまく使いこなすと、ビジネスの生産性は劇的に上がることになります。

普段の仕事で文章作成や数値計算の実行、プレゼンテーションの資料づくりにマイクロソフトのオフィスシリーズを使っているでしょう。生成ＡＩによって仕事の進め方が激変するかもしれません。

また同時に「Azure AI Content Safety」というＡＩの安全性を確保する機能も発表

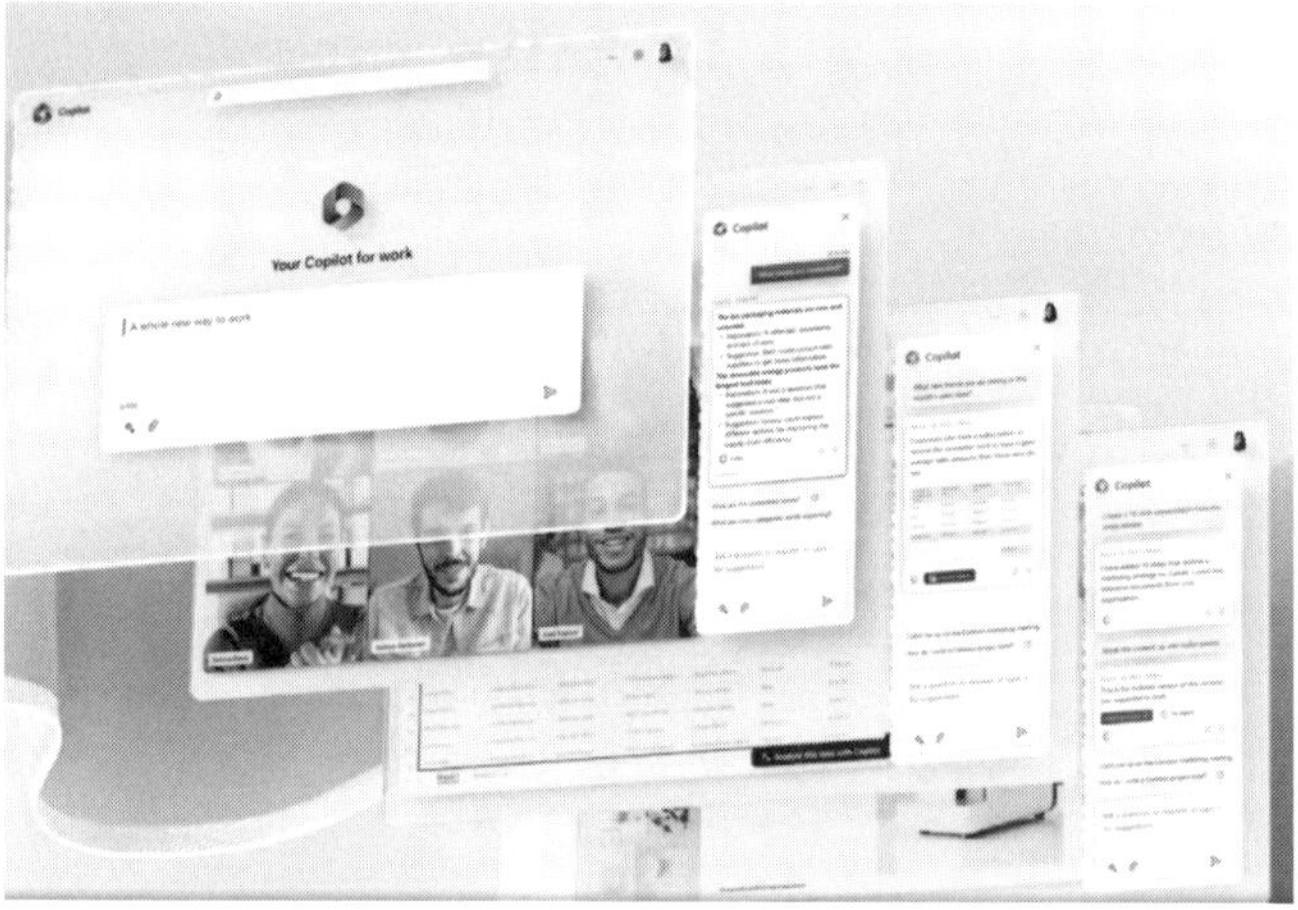

Microsoft365 Copilot

し、ＡＩが引き起こす問題に対しても対策を講じています。スタートアップだけでは対応しきれなさそうな領域も押さえているのです。

ＯＳに関わるあらゆるデータや仕様の変更を生成ＡＩの活用によってより簡潔にするということは理にかなっています。本来ならばデスクトップからモバイルまでのＯＳをそろえるアップルが先に発表しそうな取り組みですが、マイクロソフトが先陣を切ったともいえるでしょう。この経営のスピード感は一時期のマイクロソフトからすると多くの期待を超えているともいえるでしょう。

マイクロソフトが発表の中で強調していたのは「″ｆｌｏｗ″（流れ）」という言葉です。開発者やビジネスパーソンがＡＩを活用してプログラミングや仕事に集中できるようにするというわけです。「Github Copilot X」というプログラミングのＡＩ支援機能では生産性が54％向上したと言及しています。

ウィンドウズがどのように使われているかという存在意義を改めて説明した一方で、22年まで取り組んでいたメタバースなどにはほぼ言及しておらず、変わり身の早さやしたたかさも感じさせました。

「物語」でオープンイノベーション呼びかけ

今回は発表内容だけではなく発表の仕方にも特徴があります。２０１４年からマイクロソフト会長兼最高経営責任者（ＣＥＯ）を務めるサティア・ナデラ氏は基調講演の中に物語を組み込んで提示したのです。

プレゼンテーションは生成ＡＩに「このイベントにふさわしい、開発者にインスピレーションを湧かせそうな、かっこいいショートビデオをつくってくれ」と問いかけるチャットのやり取りから始まります。そのうえでコンピューターが存在する前の時代のように本来の目的に集中できる姿に戻りましょうと呼びかけます。

現在、生成ＡＩの最前線にいる経営者には若手が目立ちます。オープンＡＩのサム・アルトマンＣＥＯは30歳代で、ＡＩプラットフォームの米Scale AI（スケールＡＩ）のアレクサンダー・ワンＣＥＯは20歳代です。

50代半ばのナデラ氏は型破りな若い先駆者に合わせるように普段よりもラフなパーカーの服装で登壇。人類とコンピューターの共生について「夢のマシンの追求（Pursuit of the Dream Machine）」と題して１９４５年からのコンピューターの歴史を振り返り、これからのＡＩとの共生がどうあるべきかを語っています。

あえて競合であるアップル創業者のスティーブ・ジョブズ氏がテクノロジーを自転車にたとえた表現を引用しつつ、ChatGPTの出現を蒸気機関と表現しました。さらに世界の国内総生産（ＧＤＰ）の伸びといった現実的な経済にテクノロジーが影響を与えてきた歴史と、今後も与えるであろう抽象的な影響にも言及して、現実性と抽象性のバランスをとっています。

こうした物語を紡ぐ能力は、新しいテクノロジーを社会に浸透させるためには極めて重要です。進むべき未来はこちらであるという道標を立てて、社内だけでなく、共感や熱狂する社外のアプリ開発者なども巻き込むことができるからです。マイクロソフトはかつての独善的な姿勢から「共につくろう」というオープンイノベーションへの転換を強調したわけです。

こうしたプレゼンテーションはジョブズ氏が「リベラルアーツ（教養）とテクノロジーの交差点が重要である」と説いたことをほうふつさせます。日本でもビジネスの世界で「教養」がブームになることはありますが、その一つの有効的な活用方法はこのような「物語を紡ぐ（Story telling）」能力にあります。

ナデラ氏のプレゼンテーションは「何をつくるのか？」という問いかけから「なぜ我々はつくるのか？」という哲学的ともいえる問いで締めくくられます。ナデラ氏の回答は経済成長だけでなく、人々の健康や教育環境も含んだ「人間開発指数」の向上のためだと訴えます。

そのうえで成長の公平性、技術への信頼、人権の保護や持続可能性のためのエネルギー政策の転換という課題がある中で、地球上の80億人に年単位ではなくわずか数週間でサービスを届けられる意義を語りました。出身地のインドでテクノロジーの恩恵を受けたという人々の声を紹介し、自分たちが行っているビジネスの価値がどう裏付けられているか表現したのです。

近年「パーパス経営」などの言葉はビジネスの世界でも聞かれるようになりました。しかし説得力のある形で伝えられている例はあまり多くありません。テクノロジーという無味乾燥に思われがちな領域で、このような人間味のあるメッセージを発したCEOが、モバイルOSの開発から離脱して「沈みゆく巨大企業」だったかつてのマイクロソフトにここまで変革を起こしている事実は、多くのビジネスリーダーにとって学びになるでしょう。

オープンAIのCEO解任劇とマイクロソフト

日本における正月休みに相当する米国の感謝祭の休日を目前に控えたタイミングで、テック業界が2023年で最も騒がしい動きを見せました。オープンAIのサム・アルトマン最高経営責任者（CEO）を巡る一連の解任・復帰劇は、素早い対応を見せたマイクロソフトのサティア・ナデラCEOの評価を高めています。

いまだ真相は不明

2023年11月17日金曜日、ChatGPTを開発したオープンAIの顔ともいえるアルトマン氏がリモートで開催された理事会（企業の取締役会に相当）によって、ＣＥＯの職を解任されたというニュースが報道されました。その前日の16日にアジア太平洋経済協力会議（ＡＰＥＣ）の関連イベントに参加したばかりの同氏が、なぜ唐突に解任されたのか明らかではありませんでした。

オープンＡＩ側は公式サイトで「コミュニケーションにおいて率直さを欠いた」といった漠然とした理由を発表しました。この言葉通りだとすると、違法ではないものの何かしらの虚偽があったと読み取ることができます。

新しいＡＩモデルの可能性や、理事会メンバーであるイリヤ・サツキバー氏が今後の方向性を巡って意見の対立があったという一部報道もありますが、具体的な解任の理由は明らかになっていません。何らかの理由で公表できない状態にあったと考えるのが妥当でしょう。

オープンさを標榜するオープンＡＩが透明性に欠けているのは、非営利組織でありながら投資家を募り、ChatGPTを公表してからわずか1年で時価総額10兆円規模という世界最大のスタートアップ企業として名乗りを上げた矛盾にも表れています。

23年はアルトマン氏の日本訪問が話題になった場面もありましたが、当時の人材の一部は既にオープンＡＩを離れています。

ベンチャー企業のトップが解任されること自体は珍しくありません。アップルのスティーブ・ジョブズ氏、ペイパル時代のイーロン・マスク氏も同様の苦難を経験しました。しかしオープンＡＩは全世界の注目を集める組織であったため、わずか数日の間にビッグテック周辺も巻き込む大騒動に発展した点は極めて異例といえます。

さらにオープンＡＩという組織内部の力学を知らなければ、理解できないことも多くあります。もともとオープンＡＩは、マスク氏らが「アルファ碁」の開発で知られる英ディープマインドを14年に買収したグーグルに懸念を示して、オープンな開発を目指す非営利組織として設立されました。

今回の騒動の中心人物であるサツキバー氏は設立当初にグーグルから引き抜いたチーフサイエンティストでした。しかしマスク氏が次第にオープンＡＩの開発の進め方に不満を持ち、テスラの傘下にしようとしたことにアルトマン氏が反発したことで距離が生まれます。

その後、オープンＡＩは営利子会社を設立してマイクロソフトから大半の資金を調達します。非営利の組織が間接的に営利目的の子会社の株式の過半数を持つという構造になっているため、非営利の意思決定機関が営利目的の子会社の意思決定も行うという不可解な状況が生まれていました。

社会の公益を本当に優先しているのか、非営利のふりをした営利企業ととられかねないアグレッシブさが、次第に経営判断にゆがみを生み出します。

まずアルトマン氏の解任が発表されたわずか数時間後には、オープンＡＩの共同創設者であるグレッグ・ブロックマン氏がアルトマン氏への連帯を理由に辞任すると表明。さらに上級研究者の３人も辞任を発表しました。翌々日の11月19日にはオープンＡＩの最大のパートナーであるマイクロソフトが助け船を出し、アルトマン氏がマイクロソフトに電撃入社することが発表されました。

そこにオープンＡＩの従業員全体の約90％が理事会の方針に激しく反発し、アルトマン氏の復帰を求める文書を提出。従業員は株主ではないため経営の意思決定権はありませんが、数が集まれば事実上のストライキが可能です。

ＡＩの開発に携わるエンジニアという人材の希少性を考えると、かなりの圧力を運営側にかけることができます。サツキバー氏は謝罪し、この文書に署名しています。11月21日には一転してアルトマン氏のＣＥＯ復帰が決定しました。

明らかになった人材と素早い判断の強み

関係者の間でしたたかな心理戦が起きた1週間であり、まだ真相が明らかになっていない要素も残ります。ただ、我々が学ぶべき点も数多くあります。

一つは現代の組織において、技術者の頭脳を惹きつけることがかつてなく重要であるという点です。オープンＡＩの強みは伝統やクラウドサーバーといった設備でもありません。優れた技術者の頭脳、すなわち人材です。アルトマン氏や優秀なエンジニアが大量に離れてしまって看板と箱だけが残っても、もはやその組織に価値はありません。

これまでも多くの人材の入れ替わりがありましたが、解任時点の研究者を中心とした理事会メンバーの経歴を見ると、急成長期の企業統治において経験が不足していたことが分かります。

特にオープンＡＩは米連邦取引委員会（ＦＴＣ）から情報漏洩や風評被害、虚偽や誤解を招く行動をしていないかという調査を受けました。そのため、公表できないことも多々あるでしょう。

２０２４年の2月末には米証券取引委員会（ＳＥＣ）がこの騒動で投資家を欺く行為があったかを調査するとの報道がありました。同時期にイーロン・マスク氏はオープンＡＩが「人類の利益」とされる設立当初の目的から逸脱し、事実上マイクロソフトの子会社になり、マイクロソフトの利益を最大化のためにＡＩを開発していると訴訟を起こしています。

あまりに技術の進展が速く、既存の法制度の刷新が追いつかない状態でもあります。そのため米バイデン政権はＦＴＣの委員長に、法と先端技術のあるべきビジョンを考えるリナ・カーン氏という35歳の気鋭の研究者を任命しています。「デジタルネイティブ」と呼ばれる世代であるからこそ、過去の事例に影響されすぎずにゼロから考えやすいのです。こうした動きに日本は無関係ではいられません。

またこの騒動は、マイクロソフトのサティア・ナデラCEOの素早い対応が評価を高めています。窮地に立たされたパートナーにどこまで誠実に向き合えるかは、組織のトップに立つ人間にとって非常に難しい局面です。

アルトマン氏が解任されて窮地に陥るなか、組織であるオープンAIとの関係性を考えて中立の立場を決め込むこともできたでしょう。しかしナデラ氏は、真相はともかく素早く助け船を出して結果的にはスタートアップ界隈の評判も上がっています。

日本企業も対岸の火事と眺めるだけではなく、こうした素早さで経営判断をしなければ、発展し続けているAIを軸としたデジタルトランスフォーメーション（DX）の競争で勝つのは難しくなります。

アンソロピック社と注目スタートアップ

アマゾン・ドット・コムが生成ＡＩの取り込みに乗り出したことも、こうした動きを象徴しています。メタ社の年次イベントが開催される直前に、アマゾンは生成ＡＩスタートアップのアンソロピック（Anthropic）に最大40億ドル（約６０００億円）の巨額投資をすると発表しました。時価総額は約２兆円とも言われ、新しいＡＩモデルの開発を支援するとしています。

アンソロピックはChatGPTを開発したオープンＡＩの元幹部である兄妹が独立し設立した注目株のスタートアップです。23年5月にはグーグルから4億５０００万ドルの資金調達をしています。そこへアマゾンが割って入った形になるのですから、ＡＩ業界はまさに群雄割拠の戦国時代の様相といえるでしょう。

そして、2024年3月4日、「Claude3」という次世代型のAIモデルを発表しました。複数のベンチマークでオープンAIの「GPT-4」を上回っているようです。グーグル、マイクロソフト、オープンAIそしてアンソロピック。生成AIの覇権争いを繰り広げるトップランナーを総称する「GOMA」各社は、いまやGAFAMに取って代わる存在感を増しています。一方で、GOMAの周辺で勢いを増すスタートアップ企業も見逃すべきではありません。

グーグル発のスタートアップ企業「Perplexity.AI（パープレキシティ）」は、社名をそのまま冠した「Perplexity.AI」が好調です。検索技術に特化したこの対話型テキスト生成AIは、アカウント登録不要、最新情報のソースを提示、クローム拡張機能を装備、日本語もスムーズに展開など、使い勝手のよさでユーザー数を増やし続けています。創業わずか1年で評価額が750億円に達して話題を集めています。

フランスのスタートアップ企業によるミストラルAIも注目株です。2023年創業の同社はパリに拠点を置くスタートアップですが、2024年2月にマイクロソフトと提携したことを発表。マイクロソフトが欧州の顧客を掴みに行くための一手と見ることもできるでしょう。

パープレキシティ、ミストラルの共通項は、元ＧＯＭＡから枝分かれしたメンバーが創業者である点です。パープレキシティはディープマインド、オープンＡＩ、グーグルを渡り歩いてきたＡＩ研究者が、ミストラルはディープマインド出身のＣＥＯとメタ出身のＣＴＯにより共同設立された新興企業です。つまり、いずれもまったく無関係の場所から出てきたのではなく、ＧＯＭＡから枝分かれするように優秀な社員や技術者が流出し、各自でスタートアップ企業を続々と創業しているのが実情です。個々の生成ＡＩの特性だけでなく、こうしたどこから枝分かれし、どことどこが結びつくのかといった各社の関係図や背景も含めてしっかりと理解しておくことは、めまぐるしく移り変わる生成ＡＩ戦争の行方を読み解く一助にもなるはずです。

続々と増え続ける生成ＡＩサービスを使ったユーザーが最終的に選ぶポイントとなるのは、コストと利便性のバランスです。軽量化はされて価格は安いが性能が限定されているものと、月10ドル払うが生産効率が劇的に上がるもの。自社のビジネスにどちらを使いたいかと考えたとき、多くは後者を選ぶのではないでしょうか。消費者向けなのか、法人向けなのか、どの程度の正確性が求められるのかという視点など多くの考慮すべき点はありますが、単に「軽量化」されているから普及するに違いないと極端に単純化することは危険です。

新しいＡＩテクノロジー開発の時流に乗ったオープンＡＩや英スタビリティーＡＩ（StabilityAI）、対話型ＡＩを開発する米アンソロピック（Anthropic）などの新興ＡＩ開発の企業同士の戦いを派手な「空中戦」とたとえるならば、同様にＡＩテクノロジーの流れを取り込もうとするマイクロソフトやグーグル、米アドビ、米エヌビディアなどの巨大なテクノロジー企業の動きは「地上戦」のようなものといえるでしょう。

この熾烈な争いは２０２５年が一つの契機になり、次の10年間のＡＩテクノロジーの覇権に影響を及ぼしかねません。ソフトやハードといった業界の壁や、シリコンバレー、シアトルなどといった地域に関係なく、空中戦と地上戦のどちらもよく見ておく必要があります。

逆に考えると、巨大テック各社は今のうちに手を打っておかなければ、オープンＡＩ・マイクロソフト連合などの急速に勢いを増す競合に対抗できないと判断しているとも見ることができます。

第2分野

半導体

エヌビディア

VS

アーム

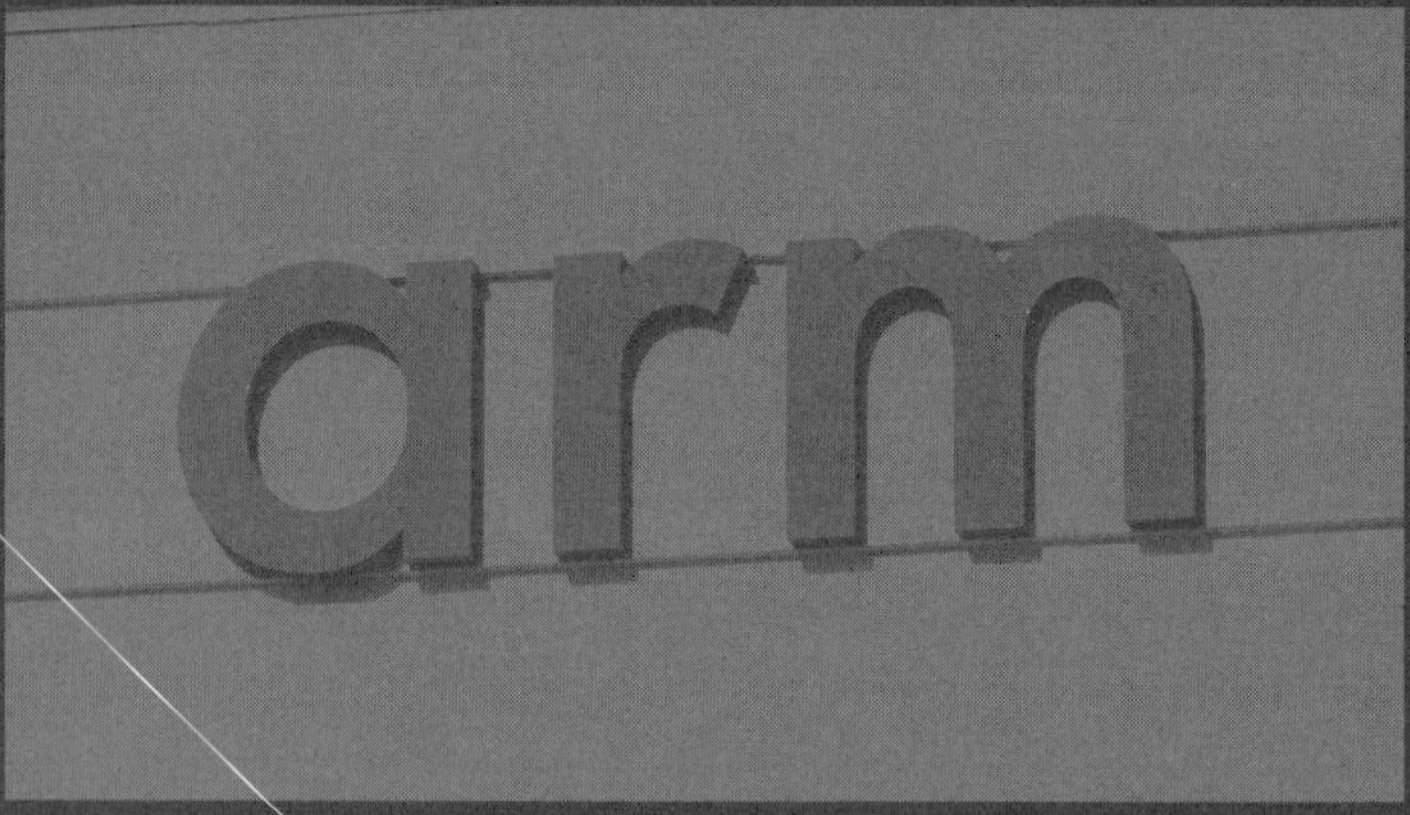

ソフトとハードが入り乱れての開発競争が激化

生成ＡＩを巡る開発競争が過熱していく中で、最も重要な鍵を握っているのは半導体です。スマートフォンやＰＣ、家電に欠かせない半導体ですが、膨大な計算量と高速の計算力に支えられる生成ＡＩのテクノロジーもまた、半導体の性能によって大きく左右されます。

市場の動向に目を向けると、米国の画像処理半導体で圧倒的シェアを誇るエヌビディアや英国のアーム、韓国のサムスン電子、熊本県菊陽町に巨大工場を建設予定の台湾大手・ＴＳＭＣなど、半導体メーカーの存在感が増しています。

一方で、半導体メーカー各社は、この状況に安穏としているわけではありません。自分たちは確かにハードウェアの核となる半導体を提供している。だが、取引先が自分たちで半導体の開発を始めてしまったら？　あっという間に用無しとされてしまうのでは？　その展開を懸念しているエヌビディアは、すでに自前のソフトウェア開発に多額の投資を行っています。２０２４年2月13日にはChat withRTXというＡＩチャットアプリを公開しました。

アップデートのめまぐるしい現代において、ハードウェアを開発しているだけでは取り残されてしまう。だからこそ、エヌビディアはハードウェア、ソフトウェアの双方の開発に注力しているのです。さらに言えば、かつてははっきりと垣根があったハードウェアとソフトウェアの領域も、その線引が徐々に消えつつあります。ユーザーに優れた経験を提供しようと思うのであれば、どちらも必須の要素だからです。

多くのデジタルツールが出てきた中、見方を変えれば、ハードウェアは「変更の難しいソフトウェア」と見ることができます。その上でどちらの領域も押さえなければなりません。

１９８０年代には世界一のシェアを誇りながらも、様々な要因で競争力を失ってしまった日本の半導体メーカーは、エヌビディアをはじめとした海外の半導体産業の柔軟なこの姿勢こそを見習うべきでしょう。ハードウェア、ソフトウェア、そしてアルゴリズム。3点をセットとして開発を行う時代はすでに到来しています。

エヌビディアに対抗する孫正義氏

2024年2月にはソフトバンク創設者の孫正義氏が、エヌビディアに対抗して1000億ドル規模の半導体ベンチャーを立ち上げることが発表されました。プロジェクトのコードネームは「イザナギ」。ソフトバンクグループは前述した英国の半導体設計会社アームを買収済みであることからも、ソフトとハードが入り乱れての開発競争が激化していくことが予想されます。

一方、オープンAIは2024年2月上旬に、アラブ首長国連邦などの複数の投資家と交渉しAI開発に必要な半導体を製造するために約5兆ドルを必要とすると報道されています。2024年2月のオープンAIの時価総額が12兆円程と推定されることから考えると桁違いの資金調達ですが、エヌビディアの時価総額が約200兆円に到達していたことを考えると、対抗するにはそれだけの資金が必要ということもありえます。

エヌビディアが世界3位の時価総額になるまで

インテルやサムスン、クアルコムなど様々な企業がいる中で、エヌビディアが群を抜いていると言えるでしょう。社名はラテン語のinvidia（羨望）とNV（next vision：次のビジョン）をかけあわせて、未来を見据えるという意味を込められています。

元々は台湾出身で、米国で育ち、スタンフォード大学院で電気工学を学んだジェンセンファン氏が30歳のとき（1993年）に自身がアルバイトもしていたファミリーレストランであるデニーズで友人と企画を考えエヌビディアを設立しました。

ただ、ジェンセンファン氏はビジネスモデルには詳しくなかったため本屋に向かい、ビジネスプランの本を購入して事業計画を作成します。名門ベンチャーキャピタルのうちの一つであるセコイア・キャピタルの投資家からは「今まで聞いた中で最低の事業提案だ」と言われながらも投資につなげます。

当時は、ウィンドウズ95が出る前の時代でしたが、マイクロプロセッサの業界が急速に進化している時代でした。ジェンスン氏はインテルなどの既存の大企業の半導体（CPU：中央演算処理装置）が苦手にしている処理、例えば3Dグラフィックなどを扱える半導体が作れないかと考えたのです。

1992年にはOpenGLというオープン標準規格が公開された時期でもあり、3Dグラフィックはウィンドウズによるグラフィックス規格の「ダイレクト3D」だけでなくゲームの世界でも必要とされていました。日本でも馴染みのあるセガの3D格闘ゲーム「バーチャファイター」も93年に発売されていましたし、ナムコの3Dレーシングゲーム「リッジレーサー」も人気でした。その需要が高まる中、エヌビディアは3Dグラフィックがこれまでもよりも高い製品であるGeForce256を、1999年に発売します。これが世界初の「GPU：グラフィックプロセッシングユニット」として名付けられました。そこから性能を着実に伸ばし、今やニンテンドースイッチにも使われるようになっています。

このGPUは、単に3Dグラフィックを処理することに優れているだけではありませんでした。GPUの持つ、並列処理の速さは人工知能を処理するのにも非常に相性が良かったのです。

そのため人工知能のサービスが広がり始めると、GPUの売れ行きも高くなり始めます。2012年頃から盛り上がった画像処理に使うニューラルネットワークもそうでしたが、特に、生成AIにおける計算量はこれまでよりも大きいため、処理にかかる時間や性能を考慮するとエヌビディアのGPUが第一候補になるわけです。

2022年11月のChatGPTの爆発的な普及もあり、GPUの争奪戦になりました。その結果、2024年3月時点ではグーグルの親会社であるアルファベットの時価総額を抜き世界第3位の時価総額を持つ公開企業となりました。

ハードウェアから進化した企業としてこれは異例のことです。

第3分野

AR・VR端末

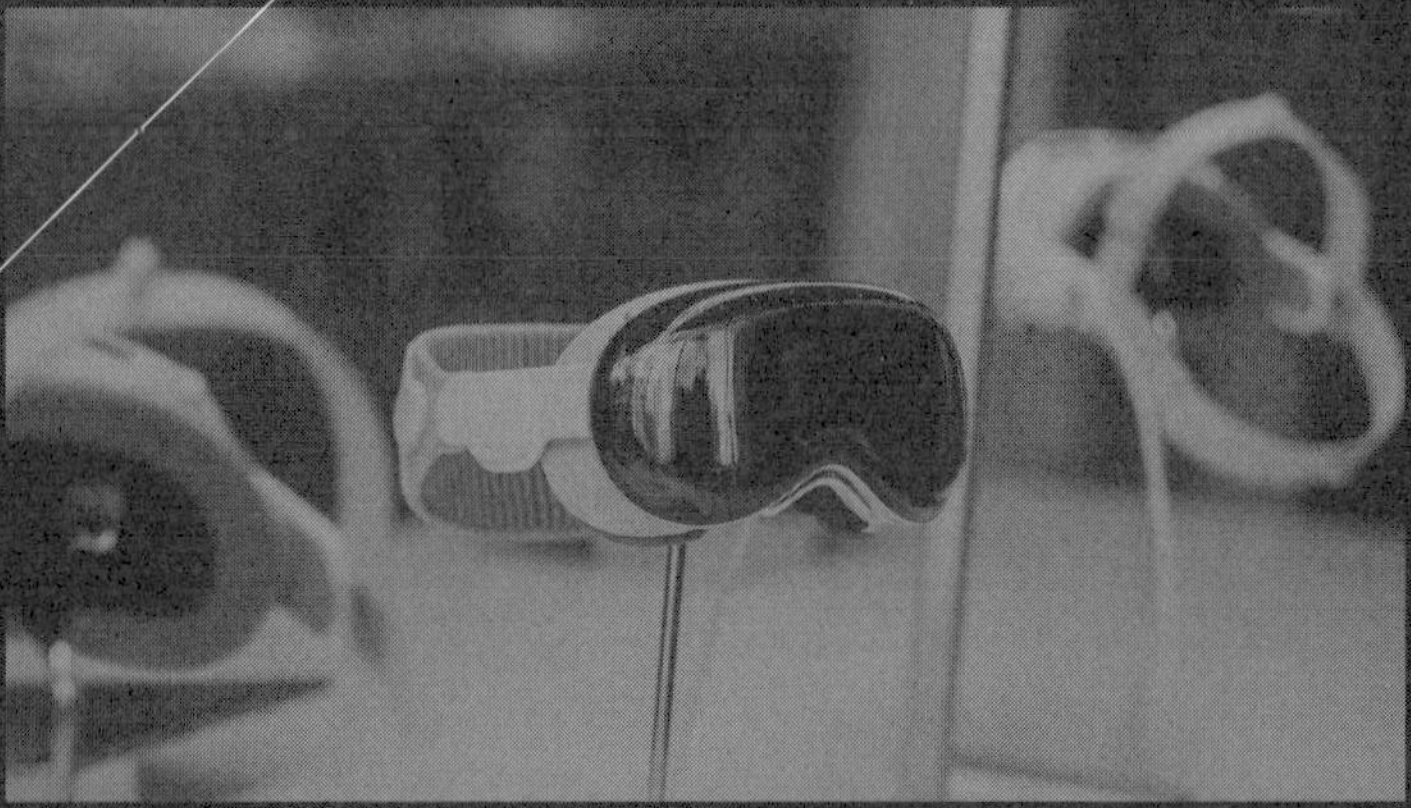

アップル

VS

メタ

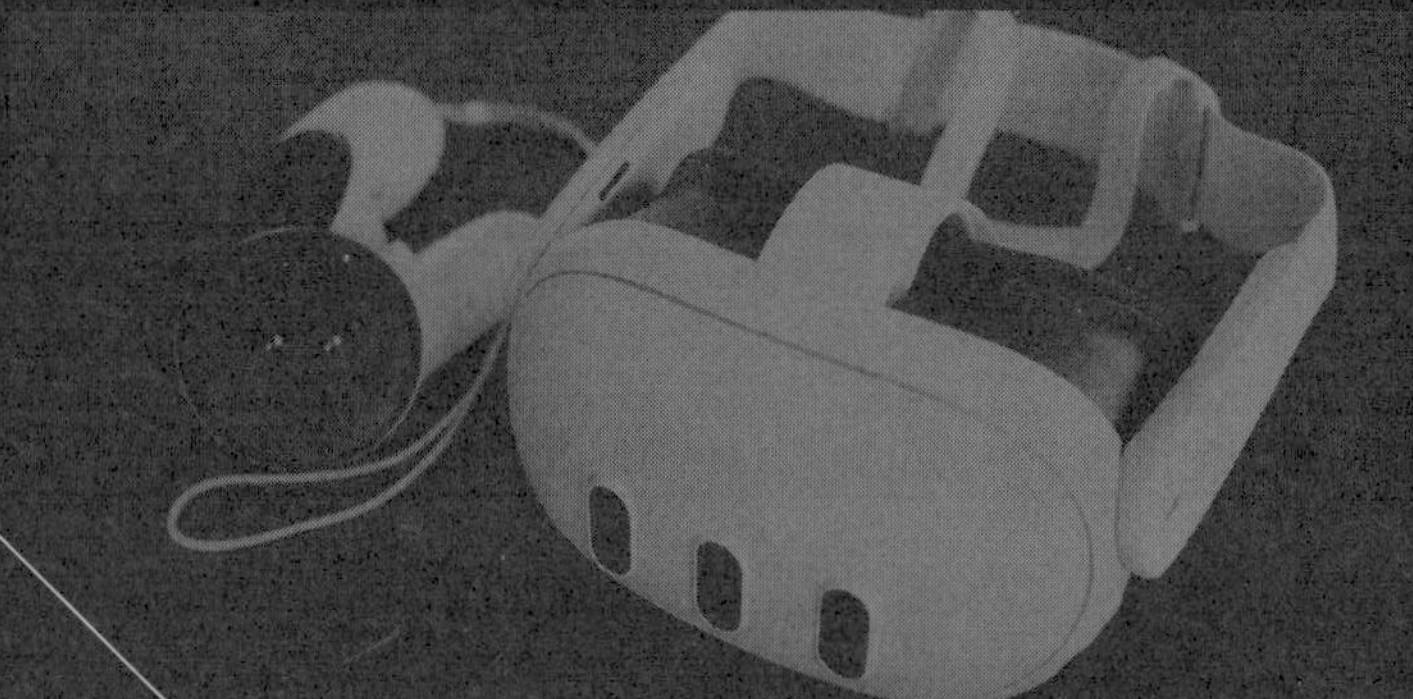

アップルのVision Pro

かねて噂されていたアップルによる拡張現実（AR）端末「Vision Pro（ビジョンプロ）」が開発者向け年次イベント「WWDC23」で発表されました。アップルの共同創業者スティーブ・ジョブズ氏がiPhoneなど革新的な製品を紹介する際に使っていた「ワン・モア・シング（one more thing）」というフレーズを引用し、意気込みが伝わってきます。

アップルが長年かけて開発してきたVision Proの最大の特徴は、仮想現実（VR）やメタバースに没入するためのヘッドセットというよりも、現実世界にひも付いた空間コンピューターを目指しているという点です。

このハードウェアにコントローラーは存在しません。現実空間とARを結びつけた点を活用し、センサーが目や指の動き、音声などを感知して、なるべく負担のないユーザーインターフェース（ＵＩ）を試みています。この点はiPhoneが当時のスマートフォンにあったハードウェアベースのキーボードやスタイラスペンに否定的で、マルチタッチの画面パネルこそが未来であると提案したことに似ています。

また同時に、アップルはプライバシーに配慮をすると明言している企業です。プライバシーに配慮した上で、目の動きをもとにウェブサイトでのユーザーの視線の動きや広告の視認状況などを分析することによって、より最適な情報や広告の提供を行うことも考えられるでしょう。

装着すると目の前の空間にアプリなどが浮かび上がり、Ｍａｃなどのディスプレーの中で完結していた画面が３Ｄ（３次元）になって室内に飛び出してきた、という感覚が近いでしょう。「アップルのＯＳがディスプレーからリアル空間に進出してきた」とも表現できます。

価格は日本円にして約49万円。メタのＶＲヘッドセットが４万～５万円台であることを考えると、約10倍の価格設定です。とはいえ実機を触った記者の感想はおおむね好評のようで、「50万円でも買う価値はある」「SF的未来がやってきた」といった声も聞こえてきます。

ただ、実機のデモイベントに参加した記者は基本的にこれまでアップル製品に好意的な記事を書いてきた人が多く、意見が偏っている可能性もあることに気をつけなければなりません。米国では2024年2月に発売されました。

専用のコンテンツ登場が鍵に

しかし、いったん冷静になって考えると「では、どう使うのか？」「毎日使えるデバイスになりうるのか？」という疑問も浮かんできます。

まず、連続使用した場合のバッテリーは約2時間しか持ちません。装着感は「見た目よりずっと軽いしフィットする」という感想が多数派ですが、長時間の装着で負担感が全くないということではありません。

デモの様子からは室内を想定しているようなので、屋外で歩きながら使う機能の搭載はまだ先になりそうです。このような制約を越えてでもメリットがなければ多くの人は使い続けません。

当初のiPhoneもバッテリーの持続時間は既存の携帯電話より短く、慣れないソフトウェアキーボードという制約がありました。それでも音楽を聴くだけでなく大画面でウェブページや動画を見たり、様々なアプリが使えたりするというメリットが受け入れられて大ヒットにつながりました。

ではは今回のVision Proはどうなるのでしょうか。一つの鍵になるのはコンテンツでしょう。例えば、動画をより臨場感を持って楽しむことができる、というのは重要なことです。ただ、コンテンツが月に1度ぐらい新作が登場するような頻度ではあまり意味がありません。最初は驚きをもって迎えられますが、すぐに飽きられてしまいがちだからです。日常的に楽しみたいと思えるコンテンツを用意し続けなければなりません。これは任天堂のゲーム機「ファミリーコンピューター」がヒットしたのはハードとしての性能や価格だけではなく、「スーパーマリオ」など一度プレイしただけでは飽きないソフトがあったということと共通しているでしょう。

一方でアップルは、動画など「空間コンピューティング（spatial computing）」に適合しそうな自社のコンテンツを増やしてはいますが、ヒット作という意味ではまだ足りていません。そこでアップルは米ウォルト・ディズニーとのコラボレーションを発表しています。

Vision Proではディズニーの動画配信サービス「Disney+（ディズニープラス）」を体験するプレビュー映像を公開しました。Vision Proという新たなプラットフォームにおける象徴的なパートナーとして世界屈指のエンターテインメント企業であるディズニーを選ぶこと自体は理にかなっています。

発表に呼ばれたディズニーのボブ・アイガーCEOは発売時（Day1）からコンテンツを提供するとしています。逆に考えれば、このコンテンツがすぐには飽きられないような素晴らしいものに仕上がるかどうかが、Vision Proの先行きに大きく影響します。

コンテンツの開発者としては今後普及が見込まれるデバイスに合わせてコンテンツ

を提供すればいいわけですから、ハード開発者よりは選択肢が広く持てます。そのためアップルが自社のハード向けにコンテンツを提供してもらおうと説得することは重要です。ディズニーだけでなく、これまで様々なプラットフォームでコンテンツを提供している開発者に、半年以上の準備期間でVision Proというプラットフォームに挑戦してもらう必要があります。

豊富なコンテンツを持っている企業がVision Proの構築するエコシステムにどう入り込むか。コンテンツ大国である日本の企業にもチャンスはあるはずです。

ＷＷＤＣ２３にはコナミ出身のゲーム開発者である小島秀夫氏もＭａｃ版でリリースされるゲームに関する内容について日本語で登壇しています。22年にはカプコンの開発者である伊集院勝氏が登壇し、16年9月の特別イベントでは独自のＡＲデバイスを開発中と報道されている米ナイアンティック（Niantic）で「ポケモン ＧＯ（Pokémon Go）」の開発者である東京スタジオエグゼクティブディレクターの野村達雄氏が登壇しています。クリエーターとプラットフォーム側がお互い納得できる条件で、発展する可能性もあるでしょう。

ビジネスの生産性向上も鍵に

もう一つの重要な鍵は法人の生産性向上です。iPhoneが登場した当時、カナダの企業によるブラックベリーという端末がセキュリティーの観点などから法人向けに人気でした。しかしブラックベリーは価格が安いわけではありませんでした。大画面で入力しやすいハードウェアキーボードなどが仕事の効率を上げる端末として、欧米を中心としたビジネス関係者に人気だったのです。個人向けデバイスだったiPhoneがその後、法人向けの需要も取り込んでいったのは画期的でした。

今回のVision Proになぞらえると、大画面によってどこまで生産効率が上がるかということも一つの焦点になるでしょう。2023年5月にマイクロソフトがWindowsを仕事用のOSと位置づけて、AI支援機能によってソフト開発のコーディングの作業効率が約50%上がったとサティア・ナデラCEOが言及したような生産性向上のメリットと同じです。プログラマーやデザイナーなどのプロフェッショナルの人材が、このデバイスを使って仕事の効率が格段に上がったという事例が多く出てくれば、約49万円という高価な価格も正当化できるからです。

今回アップルが発表したMac Studioという製品も、最新のチップM2 Ultraを搭載したものは約60万円ですが、プロのための製品という位置づけで最高の作業環境を提供しています。法人としても生産性向上の投資メリットがある限り、導入しやすくなります。ユーザーが増えれば、Vision ProからＰｒｏが外れて個人向けにも安く提供できるようになります。

このアプローチはグーグルが「Google Glass（グーグルグラス）」で、マイクロソフトは「HoloLens（ホロレンズ）」で試みましたが、今のところ不調です。アップルがハードとソフトの両方の設計で、どのように強みを発揮するかが問われます。

メタもアップルの動きを把握していたからか、アップルの発表の直前にＶＲ端末の「Meta Quest（メタクエスト）３」を発表しました。

今回の発表でアップルはあえて生成ＡＩやメタバースなどの言葉を目立つように

は使わず、代わりに空間コンピューティングという言葉を提唱し、モバイルの次の形と位置づけています。生成AIなどよりも我々はより広く先に行っている、とも言いたげにとれる内容です。

GAFAMと呼ばれる巨大テクノロジー企業が、それぞれ別の異なる未来を見据えた「哲学」を打ち出したともいえます。激しい覇権争いに発展することになりそうです。

Vision Proはティム・クックCEOが就任して12年目の大きな挑戦ともいえるプロダクトになるでしょう。日本企業は完璧主義といわれますが、アップルも同様な企業精神を持っており、なおかつ挑戦をしています。ジョブズ氏は日本企業から多くを学び、様々な関係がありました。今や日本企業がアップルに学ぶことも多いでしょう。

なお、Vision Proは2024年の2月に発売されましたが、売れ行きは順調とは言えないスタートを切りました。奥行きさえもセンサーで把握し、まるで実際に指でつまんで操作をできるような空間コンピューティングのコンセプトは驚きをもたらしましたが、長時間使い続けるための軽量さや解像度、コンテンツが揃っていなかったことが要因として挙げられます。

動画では、自社のアップルTVのオリジナル動画はありつつも、あくまで限定的な体験にとどまっています。また、期待されていたディズニーとの動画は大きな差別化要因にはなりませんでした。

これからコンテンツが増えることは予想されますが、2024年3月時点では返品が相次いでいるという報道も出ています。

同時期に、アップルは10年以上かけて開発してきたと言われていた自動運転車の開発プロジェクトを中止し、AIのチームにメンバーを移籍するとも報道されています。ビジネスモデルとして立証されていないものに研究開発の資源をふりむけるよりは、iPhoneという強固なエコシステムに付加価値を与える生成AIに力を入れる方が理にかなっています。実際、AI企業を多数買収しており2024年3月にはカナダのAI企業、ダーウィンAIを買収しています。スティーブジョブズ氏から、ティム クック氏に社長が交代して10年以上が経過し、その次の交代も視野に入っているでしょう。革新的な製品を出し続けることの困難さは日本企業だけでなく、世界最大の時価総額を誇る企業でも同じことです。

メタのQuest3の狙い

メタが2023年10月にVR端末の3代目であるQuest3を発売しました。Quest2に比較すると処理の高速化は当然として、映像の解像度が改善し、視野角が広くなっていることが大きな違いです。カラーパススルーという現実の周囲の状況をカメラで取り込む機能も追加され、アップルのVision Proの空間に溶け込むコンピューティング機能に近くなりました。ワードやエクセルなどの仕事に使うアプリも追加され、単にゲームだけの端末から脱却を試みようとしていることがわかります。ワード、エクセルを提供したマイクロソフトはホロレンズという別の端末を開発していましたが、リーダーのアレックス・キップマン氏がパワハラやセクハラの疑いで辞任した後にチームを縮小し、プロジェクト自体が中止となっており、メタにその可能性を託していることがうかがえます。

ただ、差別化としては難しい状況でしょう。性能だけで言えば、小売価格が50万円のVision Proの方が、小売価格5万円程のQuest3よりも高性能になるのは当然です。アップルは既にiPhoneやマックなどの別の端末とVision Proを接続することで、足りない機能を補うことができます。しかし、メタにはそのような他の端末はありません。

また、空間コンピューティングと違ってメタバースは没入させることを目的としているため、ゲームや映像作品などの娯楽が特に重要になってきます。

これは再びファミリーコンピュータなどのゲーム機がスーパーマリオなどの人気ゲームによって普及した構図と似ています。ゲーム機本体の性能というよりは、いかに熱中するゲームを先に提供するかでハードウェアの普及が変わってくるのです。任天堂はファミリーコンピュータやスーパーファミコン、ゲームボーイなどでも、既にそれよりも性能の良いハードウェアは存在していましたが、スーパーマリオやゼルダの伝説、ポケットモンスターなどの熱中して何回もプレイしたくなるオリジナルのゲームを投入することによって、差別化された体験を提供できていました。

ちなみに任天堂はQuest3の約30年前である1995年にバーチャルボーイというバーチャル・リアリティー端末を発売していますが、ヒット作に恵まれずに低調な販売のまま生産終了になっています。

Quest3のようなVR端末において没入感を活用したゲームはメディアで報道される形としては派手に見えますが、実際にプレイしてみると、多くの人が熱中して何回もプレイしたくなるようなゲームをつくるのはなかなか難しい状態です。ファミリーコンピュータが流行した頃とは違い、今ではスマートフォンで無料のゲームが大量に楽しめる時代です。その上で、スマートフォンに加えてQuest3を購入してプレイし続けたいというゲームを開発するハードルは更に上がります。スマートフォンのゲームならば電車でも家でもどこでも気軽にプレイすることができますが、Quest3であれば基本的には自宅ということが多いでしょう。そのような物理的な制約があるなかで、消費時間の奪い合いとなるとスマートフォンや大画面でのゲームを上回ることはかなり厳しい戦いになります。

もう一つの可能性は映像です。Quest3ではネットフリックスなどのストリーミングサービスの映像作品を見ることができますが、ヘッドセットの重さや目の疲れもあったり、何かを食べながらという長時間の視聴が難しくなります。同じ作品であれば、大型のテレビに映して見た方が長時間楽しむことができます。

もしQuest3に特化した形の3D作品などが十分に提供されれば、わざわざヘッドセットを使用する理由にはなりますが、発売当初ではそのようなことにはなっていません。

ゲーム、映像の両方とも、アップルの方が種類が揃っており、オリジナルの作品開発も着々と進んでいます。

メタは例えばアマゾンやマイクロソフトなどオリジナルの映像やゲームを持つ企業とより包括的な提携をするなど、戦略的に動くか、自社で人気を得るコンテンツを揃えることができなければQuestシリーズが大きなヒットにつながることは難しいままになります。

デジタルと実世界の融合を目指す

生成ＡＩを既存のソフトに組み込む動きはマイクロソフトやグーグルだけではなく、メタも生成ＡＩの進化を自社の戦略に組み込もうとしています。

メタは２０２３年９月27日に開催された毎年恒例の開発者向けカンファレンス「Meta Connect 2023」で、新型ヘッドセット「Meta Quest 3」とメガネ型の最新スマートグラスを発表しましたが、いずれも独自の新型ＡＩチャットボット「メタＡＩ」を搭載しており、ＡＩを活用してデジタルと実世界の融合というコンセプトの実現に動いています。

メタは２０２３年7月に誰でも改変可能なオープンソースのソフトとして大規模言語モデル「Llama 2」を公開しました。これを搭載したメタＡＩの特長は、生成

ＡＩによる会話アシスタント機能です。また同社が独自開発した画像生成モデル「Emu（エミュ）」も今回メタＡＩに導入していることを発表しています。このオープン化の動きにはグーグルも対抗して、Gemma（ラテン語で宝石）というオープンなＡＩモデルを２０２４年2月21日に発表しています。

Emu は Instagram（インスタグラム）などで使える画像生成ＡＩで、わずか5秒ほどで高品質の画像を生成できるのを強みにしています。テキストボックスにつくりたいスタンプの説明を打ち込めば数秒でオリジナルスタンプを作成できたり、インスタグラムに投稿する画像を手軽にＡＩで編集できたりするようになります。

マーク・ザッカーバーグ最高経営責任者（ＣＥＯ）は23年秋に Facebook（フェイスブック）やインスタグラム、メッセージアプリの WhatsApp（ワッツアップ）に同機能を展開していくと宣言しています。ただ単に質問に素早く正確に回答するだけのＡＩではなく、エンターテインメントから人間関係まで、日常生活の全方位をサポートするＡＩを目指すと強調しています。

日本国内では ChatGPT のブームが一段落したかのような空気が漂っていますが、

米国ではここからさらにＡＩの応用サービスの市場拡大が加速するのではという対極的な空気にあふれています。実際、巨大テック企業の動向とＡＩ業界全体を見渡すと、24年は生成ＡＩ競争の序章にすぎないといわんばかりの激しい動きが展開されつつあります。

第4分野

SNS

イーロン・マスク

VS

ザッカーバーグ

メタのThreads戦略

２０２３年7月からメタが提供を始めた短文投稿サービス「Threads（スレッズ）」が一時話題になりました。「とりあえずThreads始めました！」という知人のＳＮＳの投稿を見かけたことはないでしょうか。もし見かけたことがなければ、残念ながらデジタル環境の最先端からは遠い立ち位置にいたと考えていいでしょう。

日本ではデジタルトランスフォーメーション（ＤＸ）の必要性が叫ばれて久しいです。しかし企業の最高デジタル責任者（ＣＤＯ）でさえＳＮＳのアカウントを持っていなかったり、「Threadsのような新しい動きを知るのが遅かったりします。

ユーザー増加のからくり

Threadsとはメタが立ち上げた新しいSNSです。リリース翌日の23年7月6日にはユーザー登録数が3000万人に達しました。その後も驚異的なユーザー数の伸びを見せており、2023年時点で1億5000万人ほどのユーザーを獲得しました。

2021年に一時流行した音声SNSの「Clubhouse（クラブハウス）」を思い起こす方もいるでしょう。「どうせ、すぐに廃れるからやらなくてよい」と頭ごなしに否定して使ってみることもしないようでは、デジタル技術を活用したビジネスを進めるには不向きといえるでしょう。

多くの場合、SNSを使ってみるだけであればコストはかかりません。とりあえず始めてみて、使い続けることがなければアカウントを削除すればよいのです。

Clubhouseは新型コロナウイルス禍で自由に外出しづらかったという特殊な環境だからこそ爆発的に普及しました。しかしその後に外出制限が緩和されたり、「自己啓発セミナー」といった情報商材に誘導するアカウントなどが増えたりしたことによって多くのユーザーが離れていきました。

Threadsはイーロン・マスク氏が買収したTwitter（現X）の新しい競合相手ともいえるでしょう。短文投稿ＳＮＳとしてシェアが大きいTwitterは、マスク氏の買収後に度重なる仕様変更で様々な混乱が起きたり、もともと匿名のユーザーが多かったりして課題が山積しています。特に23年7月に入って利用者に閲覧制限をかけた影響によって多くのユーザーが不満を表明していました。

Threadsはこうした Twitter への不満の受け皿となろうとする狙いが的中したのか、ユーザー数が急増しました。リリースからわずか7時間後に１０００万人のユーザー、１日後には３０００万人のユーザーを獲得し、３日後には１億人に近づくという新ＳＮＳとしては異例の好発進を見せました。

ただ、これにはからくりがあります。Threadsは世界で10億人を超えるユーザーがいるとされるInstagramの基盤を活用しているため、Instagramのユーザーであればわずか数秒でアカウントを作成できます。Instagramと同じアカウント名でフォロワーもそのままThreadsに引き継げるため、他のＳＮＳと比べるとアカウント開設が格段にスムーズなのです。

リリース当日にはマスク氏が「ThreadsはTwitterの模倣アプリだ」として提訴すると警告したのも、TwitterとThreadsの設計がうり二つだったからです。マスク氏はTwitterの従業員を複数雇っていたことにより、企業秘密を盗んだとも主張しています。「Zuck is a cuck（ザッカーバーグはカスだ）」と強い口調で非難しています。

これまでもTwitterに似たＳＮＳとして「Mastodon（マストドン）」や、ツイッター社の共同創業者ジャック・ドーシー氏が出資した「Bluesky（ブルースカイ）」などの代替サービスが生まれています。しかし残念ながら多数のユーザーが使い始めるような動きにはつながっていません。

なぜなら、ＳＮＳに重要なのは単にユーザー数の多さや優れた機能ではなく、誰がそのネットワークに参加していて、どんなコンテンツを発信したり受信したりできるかというユーザーの質が重要だからです。質の高いユーザーのコンテンツが新しいユーザーを惹き付けるという「ネットワーク効果」が働くかどうかが鍵だからです。

こうした事情は収益の源泉となる広告を出す広告主の立場を考えればなおさらでしょう。たとえユーザー数が多くとも、ユーザー同士の中傷が頻発する媒体に自社の広告を載せたいとは考えにくいのが現実です。広告主にはもともとリーチしたい年齢層や属性があるため、こうしたターゲット層が参加していないSNSには無駄な広告を出したくはありません。

Threadsの場合、広告主からすると比較的良質なユーザー、特にこれまでのSNSでは珍しかった女性ユーザーが多いとされるInstagramのアカウントを持っていれば参加しやすくなっています。これにより最初から良質なユーザーに着目したコミュニティーをつくろうとしています。

SNSの栄枯盛衰に学ぶ

実際、メタ自身が代替サービスに脅かされた時期があります。2004年に米ハーバード大学の学生向けのサービスだったFacebookというSNSを立ち上げて米国の有名大学の学生向けサービスとして拡大したのち、一般向けに開放して約30億人のユーザーを獲得していきました。

ところが当時、既に「Myspace（マイスペース）」というオープンなSNSが存在していました。しかしユーザーの質が高いとは言い難く、米メディア大手のニューズ・コーポレーションが買収したあとはユーザー数が低迷したままです。

2011年にグーグルが始めた「Google+（グーグルプラス）」なども同様です。グーグルのユーザーだからといってアップロードするコンテンツの質がよいわけでもなく、うまくいきませんでした。

特にFacebookにとって差し迫った脅威になったのは、2010年に登場した写真共有に特化したInstagramでしょう。スマートフォンのカメラの性能の向上や写真を共有する機能の良さもあり、ユーザー数が大きな伸びを示しました。

脅威に感じたマーク・ザッカーバーグ氏はやや強引ともいえる買収をしかけることにより、この難局を乗り切りました。Instagramの創業者は買収後に不満を持ってフェイスブックを離れますが、この顚末《てんまつ》は『No Filter: The Inside Story of Instagram』（邦訳は『インスタグラム：野望の果ての真実』）という本に詳しく書いてあります。

同じ時期の2011年にSnapchat（スナップチャット）も脅威になりました。Snapchatは米スタンフォード大学の授業がきっかけで始まった写真共有アプリで、しばらくすると消えるメッセージやスクリーンショットの保存を制限したメッセージ機能などを実装しました。ザッカーバーグ氏は同様の機能をInstagramに搭載して対抗しました。

最近の大きな脅威は中国発の動画共有アプリ「TikTok（ティックトック）」でしょう。2016年に中国でリリースされ、18年に本格的に世界で利用できるようになりました。自分の顔を映すことに警戒感がない10歳代などユーザーの熱狂的な支持を集めています。

世界のTikTokユーザー数は10億人を超え、米中の緊張関係から米国ではアプリそのものの利用禁止も検討されるほどになっています。InstagramもTikTokをまねた短尺動画サービスである「Reels（リール）」という機能を追加しています。

このように2000年以降のSNSの動向や攻防を追っていけば、新しいSNSが登場しても何ら驚きはありません。今後うまくいきそうかどうかという判断もしやすくなってきます。

DXのヒントに

新しいSNSが登場すると「新しいものに敏感である」という自己顕示欲を示したいユーザーを獲得する機会になります。当初はこうした効果が相まってユーザーの増加が加速します。新しいＳＮＳではフォロワーの多い著名ユーザーが確定していないというだけで一獲千金を求めて挑戦心が旺盛なユーザーたちが集まりやすくなるからです。

TikTokはユーザー数の伸びが続き、今やその挑戦心が報われたユーザーもいるでしょう。しかし、そうではないケースが大半です。肝心なのはユーザーの間で良質なコンテンツを投稿して共有するというサイクルが回り続けるかどうかです。

約30億人のユーザーを抱えるFacebookでさえ、偽の広告や中傷する投稿などの影響で人気に陰りが見え始めています。衰えはじめた古いＳＮＳを立て直すよりも、最新の機器に合わせて新しいＳＮＳをつくった方が早いかもしれません。例えば、大学生限定にした匿名チャットアプリであるＦｉｚｚや、加工をあえてしない写真を共有するBeRealというＳＮＳが既に生まれてきています。これはまさにＤＸで企業の経営を立て直すときも同じでしょう。

マスク氏が描く「Xのスーパーアプリ構想」

2023年7月後半のある日、気がつくと普段使っているスマートフォンのアプリから青と白の小鳥のアイコンがなくなり、慌てて捜すと代わりに見慣れない「X」というアイコンに気づいたという方も多いのではないでしょうか。イーロン・マスク氏は旧ツイッターを新しい「スーパーアプリ」に生まれ変わらせようとしているのです。

青い鳥のアイコンでおなじみだった旧ツイッターのロゴが2023年7月24日に突如「X」に変わり、名称からアプリまですべてがXに切り替わりました。米サンフランシスコの旧ツイッター本社にあったロゴが取り外され、代わりにまぶしく光る新しい「X」のロゴが設置されました。ところが、点滅がまぶしすぎるという近隣の苦情を受けて、わずか3日ほどで撤去されてしまいました。

周囲の理解よりも、スピードを重視している様子がうかがえます。上場企業ではなくなり、株主のマスク氏の個人資産や、それをもとに借り入れた約3兆円もの資金で運営されているからこそ起きた事態ともいえるでしょう。

多くのツイッターユーザーは、あまりに突然の一方的な変更に反発しました。実際になじみのあったアイコンも変わってしまうのは多くのユーザーにとって驚きをもたらしたのです。2023年4月の段階では「Twitter JapanがX Japanになったら日本のロックバンドの名称と同じになってしまう」という指摘が日本のSNSに広がっていました。名称の変更を受けて再び「X Japan」がトレンド入りする事態にもなりました。

しかしこれらは2023年4月の時点で予告されていたことです。旧ツイッター社はマスク氏の保有する「X Corp.」に統合すると予告していたのです。

マスク氏が狙うスーパーアプリとは

なぜマスク氏は長年親しまれてきた青い鳥のアイコンを捨てて、ユーザーの反発を承知で「X」に切り替えたのでしょうか。旧ツイッターの広告収入は最大50％減少したとされていますが、新しい最高経営責任者（CEO）を雇って対策を進めました。

そこまで急いで彼がやりたいことは何か。背景を探っていくと見えてくるのは、マスク氏は旧ツイッターを単なるコミュニケーション用の短文投稿アプリではなく、新しい「スーパーアプリ」に生まれ変わらせようとしているということです。

スーパーアプリとは「日常生活で役立つあらゆるアプリを一つにまとめたアプリ」のことを指します。フードデリバリーの注文や決済、メッセージアプリを一つに集約することによって、個々の競合アプリに対する競争優位性を高める狙いがあります。

例としては、中国の「WeChat（ウィーチャット）」というアプリがあります。メッセンジャーアプリに決済機能がある「WeChat Pay（ウィーチャットペイ）」を組み合わせて、スーパーアプリに進化しました。

東南アジアのユーザーが多い配車アプリ最大手の「Grab（グラブ）」も同様です。もともとはウーバーテクノロジーズの「Uber（ウーバー）」のような配車アプリからスタートしましたが、金融機能やデリバリーサービスを追加してスーパーアプリに進化しました。

ウィーチャットやグラブの例は米国よりも進んだアジアでの独自の進化とみられ、早くから注目を集めていました。日本でもZホールディングス傘下のヤフーとLINEの合併によって、決済アプリ「PayPay（ペイペイ）」を中心にスーパーアプリを目指していますが、日本における規制の壁や競合アプリとの差別化の難しさもあり、まだ決定的な優位性のあるものまでにはなっていません。

米国ではさらに競争が激しく、モバイル端末のOSも巻き込んでの争いとなっているといってもよいでしょう。Facebook や Instagram を運営するメタは、SNSを利用するユーザーの多さをもとに商品の売買やマッチングのサービスを米国で行っています。ただ、まだ大きなヒットにはつながっていません。

アマゾン・ドット・コムはネットの通販や動画、音楽のストリーミングサービスだけでなく、病院などを買収して医療サービスや処方箋による医薬品の通販を強化し、日常生活でのサービスの接点やエコシステム（経済圏）を拡大しています。

アップルはiPhoneに金融サービスや医療情報サービスを組み込んできています。グーグルのモバイル端末のＯＳであるAndroidや「Google Map」にも同じ動きが及ぶと予想されます。

ただ、顧客を囲い込みすぎると独占禁止の法令に違反するおそれが出てきます。そのため各社もある程度、各国の法制度に配慮せざるを得ません。その隙をついているのが中国系アプリです。

最近は中国・字節跳動（バイトダンス）傘下で中国発の動画共有アプリTikTokがアプリに通販機能をつけたり、SHEIN（シーイン）やTemu（ティームー）といった低価格のＥＣを展開する中国系のアプリが米国を含む海外展開を加速したりしています。

生成ＡＩの取り込みが焦点に

こうした中でマスク氏が旧ツイッターをスーパーアプリに進化させようと急ぐのは理にかなっています。実際、22年のポッドキャストではウィーチャットに近いアプリの開発に興味があると発言し、旧ツイッターを買収した際にも「ツイッターの買収は〝すべてを盛り込んだアプリ〟の創造を加速する（buying Twitter is an accelerant to create X, the everything app)」との趣旨の書き込みをしています。Ｘホールディングスという持ち株会社も設立しました。

特に23年に進化させる意味があるのは、生成ＡＩ活用です。かつて支援していたオープンＡＩに対抗する形で、23年7月に新会社「ｘＡＩ」を設立しました。「宇宙の真の性質を理解するために（to understand the true nature of the universe)」と壮大な目標を掲げています。オープンＡＩによる新しい生成ＡＩの発表も噂される激動の時期に、新しい技術を活用したスーパーアプリへの期待は高まるばかりです。２０２３年11月にはＧｒｏｋ（１９６１年のＳＦ小説における造語）というChatGPTに対抗した独自の先端ＡＩサービスを発表しました。ツィッターのようなリアルタイムのデータを活用することによって、最新の動向も反映しやすいＡＩチャットボットサービスと言えるでしょう。発表における各性能はオープンＡＩのＧＰＴ４に迫る勢いであり、会社設立からわずか４ヶ月程で発表したというスピード感は大きな強みがあります。

また、イーロン・マスクは経営するテスラを通じて人形のロボット"Optimus"を２０２１年８月に発表し、翌年の２０２２年４月にはプロトタイプの展示を行い、２０２４年１月にはＴシャツを折りたたむ動作をする動画を投稿するなど次々と改良を加えています。チャットボット以外にもＡＩの進化は広がっているのです。

これに対抗してか、オープンＡＩやエヌビディア、マイクロソフトやアマゾン創業者のジェフ・ベゾス氏はFigure AIという人型ロボットを製造するスタートアップに約１０００億円投資したという発表を２０２４年２月29日に行っています。エヌビディアは加えて同時期に独自のロボットプロジェクトであるGR00Tを発表しており、人型ロボットにおける半導体のシェア獲得につなげようとしています。

ロボットの開発はボストン・ダイナミクスなど長年にわたって多くの企業によって続けられましたが、そのロボットの頭脳とも言えるAI開発企業が参加することによって一段と流れが加速しつつあります。

発明家のメンタリティーのマスク氏

Xという社名へのマスク氏のこだわりは2000年のドットコムバブルに遡ります。1999年に共同設立したオンライン銀行の名称は「X.com」でした。後に著名投資家のピーター・ティール氏が率いる米ペイパル（PayPal）を運営する米コンフィニティ（Confinity）社と合併してCEOに就任しましたが、従業員によるクーデターで解雇されました。

宇宙開発事業のために立ち上げた企業名は「スペースX」ですし、12年にはテスラとスペースXの2社のために「X」という持ち株会社を設立することを検討していたと報じられています。17年にはペイパルからX.comのドメインを買い戻しています。

そして23年7月に設立したばかりの新会社は「xAI」と、マスク氏は20年以上にわたって「X」という名称に強いこだわりを持ち続けていることが分かります。南極を含めた7大陸全てを対象にする衛星通信スターリンクなども含め、既存の業界や発想の壁を越えてシナジーを出すことを描いているのです。

テスラの蓄電池サービスであるPowerwall（パワーウォール）でエネルギーを効率よく使い、スターリンクでインターネットに接続し、脳に埋め込まれたチップで脳波を解析するニューラリンクのサービスでコミュニケーションをするという将来もありえます。マスク氏が関与した数々のサービスが日常生活の接点の多数を占めてシナジーを生み出すことができるかもしれません。

南アフリカ出身で物理学などのSTEM教育（科学、技術、工学、数学）を米国で受けた起業家であり、オンライン金融などの新しい分野を起業してきたマスク氏。単に既存のものを結合させて新しいアイデアを生み出すイノベーターというよりも、50歳代になっても自分で常に新しいものを学び、世界に送り出す発明家のメンタリティーに近い印象を受けます。

ものづくりで名をはせた日本を代表するソニーグループの新しいトップである十時裕樹社長は、ものづくりだけではなくインターネットでの新事業やオンライン銀行を立ち上げた経験もあります。もはや、自らインターネットビジネスを立ち上げた経験がなければ激動のデジタル時代を乗り切ることは不可能に近いでしょう。

日本政府は今後5年間に起業家1000人を海外派遣させるなどの支援を始めています。しかし同時に、どうしたら日本でもこうした人材が活躍できるか、こうした人材が活動できる環境を用意できるかを真剣に考えていくべき段階ではないでしょうか。

第5分野

AI規制

ビッグテック
VS
規制当局

なぜイーロン・マスク氏は「生成ＡＩの開発停止」を主張？

「ＡＩシステムの開発を6カ月間停止すべきだ」──。２０２３年3月、イーロン・マスク氏を中心としたメンバーが高度なＡＩの開発にいったんストップをかけるべきだと公開書簡で呼びかけました。その後、ＡＩ業界ではめまぐるしいほどの進化と混乱が起こっています。一部ではChatGPTとGPT-4の区別がついていないなどの誤解も見られるので、簡潔に読み解いていきましょう。

GPT-3.5という大規模言語モデルがベースの対話型ＡＩ「ChatGPT」は、オープンＡＩが２０２２年11月末に開発版を公開したことによって世界の注目を集めました。およそ3カ月半後の3月14日には、さらに性能を高めた言語モデルのGPT-4を公開しました。米国の司法試験に上位10％の成績で合格したり、冷蔵庫の中にある食材の写真を分析して料理のレシピを提案したりするなど世界に衝撃を与えました。

２０２３年３月17日にオープンＡＩは労働市場への影響をまとめた「大規模言語モデルが労働市場に与える潜在的影響についての早期調査（GPTs are GPTs: An Early Look at the Labor Market Impact Potential of Large Language Models)」という研究論文を発表しました。米国で仕事をしている人の８割が少なくとも仕事の10％以上で影響を受けるほか、２割の人は仕事の50％以上で影響を受けるとの予測を発表しています。

約１週間後の３月26日には、米金融大手ゴールドマン・サックスが「人工知能が経済成長に及ぼす潜在的な巨大効果（The Potentially Large Effects of Artificial Intelligence on Economic Growth)」というＡＩによる経済への影響を分析した資料を公表しました。世界全体で約３億人にも上る労働者が、生成ＡＩの影響を受けて失業に追い込まれるリスクがあると発表しています。

高度なＡＩ開発の一時停止求め公開書簡

そしてGPT-4の公開から2週間たった3月29日に、新たな動きが世界中にニュースとして伝わりました。マスク氏を中心としたメンバーが高度なＡＩ開発をいったんストップするべきだと公開書簡で呼びかけたのです。

１０００人を超える署名者は、画像生成ＡＩ「Stable Diffusion（ステーブル・ディフュージョン）」の開発で知られる英スタビリティーＡＩのエマド・モスターク最高経営責任者（ＣＥＯ）など、開発の前線にいる方々だけではありません。

アップルの共同創業者であったスティーブ・ウォズニアック氏、ＡＩ研究者のヨシュア・ベンジオ氏、Skype（スカイプ）共同創設者のジャン・タリン氏、著書『サピエンス全史』が世界的ベストセラーとなった作家のユヴァル・ノア・ハラリ氏など、テクノロジーの最前線とはまた違った様々なメンバーが名を連ねています。

ChatGPTを開発したオープンＡＩの共同設立者だったものの、現在は距離をとっているマスク氏がなぜわざわざ開発にストップをかけているのか、疑問を抱く人も多いのではないでしょうか。生成ＡＩの爆発的進化が社会にどのような波紋を呼んでいるのかも踏まえてマスク氏らの主張を検証してみましょう。

公開書簡の主張をかみ砕くと、次のように要約できます。「このままの猛スピードでＡＩ開発が進んでいくと、政治的・社会的なリスクを及ぼすおそれがある」「制御不能の事態を防ぐためには、激しい企業競争にいったん歯止めをかけ、リスク管理の共通ルールを規制当局で設けていくべきだ」との主張です。

例えば、この画像はあるジャーナリストがトランプ前米大統領の逮捕画像を画像生成ＡＩの「Midjourney（ミッドジャーニー）」で作成したものです。よく見ると不自然なところはあるものの、衝撃的に見える写真であるため、ＳＮＳでは世界の６００万人以上に閲覧され、画像が独り歩きすることもありました。

ＳＮＳの投稿を隅々まで読めば嘘と分かるものでも、あまりに写真が精巧につくられているためにだまされた経験がある読者もいるのではないでしょうか。それがエ

トランプ前米大統領の偽画像

ープリルフールのおふざけならばよいのですが、現在行われている選挙など、重要な意思決定に関わるものであれば、社会に大きな悪影響を引き起こすことになります。AIを利用したフェイクニュースやフェイク動画の氾濫が起これば、陰謀論から人種差別、選挙で敵陣営をおとしめるためのニセ動画までも、AIであればいくらでも大量に生成されてしまいます。

社会の分断や格差を助長するおそれ

もともと過去の米大統領選挙では外国の

関与も既に疑われていることから、ここに生成ＡＩが加われば、さらに事態が悪化することが予想されます。生成ＡＩを駆使したフェイクニュースの真偽を見極めるのは短時間では非常に難しく、世論の操作や誘導に使われるようになれば社会の分断と格差が今以上に深まってしまいます。

これに対抗するためには、コンテンツに自主規制を設けるしか現状は手立てがありません。たとえばユーチューブのように、深刻な危害を加えたり死亡させたりするおそれのある危険・違法行為の助長を目的としたコンテンツは許可しないようにするのです。

しかしあくまで自主規制ですから、１００％完璧な対応は期待できません。自社だけが倫理を守ろうと開発に歯止めをかけても、どこか一社でも出し抜こうとすれば、残りは競争に負けてしまいます。

マスク氏の真意にうがった見方も

一方で、マスク氏は微妙なポジションにいるのも事実です。当初マスク氏はオープンソースかつ非営利なオープンＡＩの姿勢に共感を表明していました。ところがマイクロソフトがオープンＡＩに１００億ドルともいわれる巨額投資を行い、主要株主となったことによって、社名の「オープン」から遠のいてしまったという複雑な思いを抱いていることは否めないでしょう。

このままの猛スピードで開発を続行すれば、次なるバージョンが登場する日もそう遠くないでしょう。そうすればＡＩ業界の勢力図はオープンＡＩとマイクロソフトに独占されてしまうかもしれません。

そういう意味では、マスク氏がこの公開書簡の中心人物となっているのは、オープンＡＩの大株主であるマイクロソフトに対してけん制する意味も当然含めてのことでしょう。このまま巨額の資金を使って手放しで開発させたくはない、という本音も透けるといった見方もできるかもしれません。この賛同者には、グーグルなど他のAI開発の前線にいる企業は含まれていません。

これらの公開書簡に実効性・強制力はありません。生成AIという優れた技術に、我々はどう向き合うべきか、使いこなしていけるのか。技術に対して意見の分断が深まるなか、人間同士の対話の重要性がまさに問われています。

アップル新製品のテクノロジー規制への対応

米国は毎年9月が新学期シーズンです。これに合わせてアップルは現地時間2023年9月12日に新製品などの発表イベントを開催しました。実は同じタイミングに米国では大手テクノロジー企業に対する新たな規制に向けた議論が始まってしまいました。アップルの発表で注目されたのも、新製品そのものより大手テクノロジー企業に対する規制への対応でした。

アップルが披露した1時間半にわたる映画のような発表会の映像は、日本の夏の風物詩である風鈴や干している洗濯物などの日常の光景から始まりました。アップルウオッチで異常な心拍数を発見したことによって手術を受けて、次の誕生日を迎えることができたという飯村正彦氏のエピソードを紹介する内容です。

22年の発表イベントはアップルウオッチによる事故検知などの体験談を紹介することによって、いかにアップルの製品が人命を救っているかという内容でした。23年はより日常に近い状態でかつ世界で命を救うことができていると訴求しています。「命を救うほど重要なことは他にない」というティム・クック最高経営責任者（CEO）のコメントは、ヘルスケア関連のプロダクトやサービスを重視する経営戦略を感じさせます。

ＥＵへの規制対応に脚光

もう一つアップルの発表で注目すべき内容は、２０３０年をゴールに設定した環境対策の本気度です。アップルはかねて気候変動との闘いに精力的に取り組み、「２０３０年までにすべてのアップル製品をカーボンニュートラル（温暖化ガス排出量実質ゼロ）にする」と宣言しています。

このイベントではアップル初となるカーボンニュートラル製品の新作アップルウオッチを発表しました。製造時には再生可能エネルギーを使用し、輸送は環境負荷が少ない船舶や鉄道を選択するというのです。さらには温暖化ガスの排出枠を売買する「カーボンクレジット」を利用して排出量を相殺するといった工夫を凝らし、２０３０年の目標に向けて着々と歩みを進めているとアピールしています。

アップルは自社での環境への配慮や２０３０年までの取り組みについても、クックCEOを筆頭にアップル社員が出演するドラマ仕立ての映像作品として発表しました。映像作品としてのクオリティーの高さもさることながら、見せかけの施策でお茶を濁すのではなく、具体的に取り組んでいる姿勢と成果がよく伝わる内容に仕上がっています。

これは環境保護への関心が高い米カリフォルニア州に本社があるからというだけではありません。環境規制を先導しようとしている欧州連合（EU）などへの対応にも共通するメッセージです。

発表された最新iPhoneは独自の接続規格である「ライトニング（Lightning）端子」を捨てて、「USB Type-C（USBタイプC）」に対応しました。消費者にとってはUSB-Cのコネクターであらゆる充電ができるようになることは単純にメリットです。

しかしこの流れはアップルが望んだものではなく、EUによる規制の変更によって余儀なくされた消極的な選択とみるのが妥当でしょう。

EUの欧州委員会は22年10月にEU域内で販売するすべてのスマホや電子機器に搭載する充電器などの接続規格について、USB-Cへの対応を義務付けると決定しました。ＥＵ市場の影響力を無視できなかったアップルは、この決定を受けて独自規格であったライトニングを捨てることを決断したという要素が大きいといえます。同様な規制の影響はこれからも続くでしょう。

ＡＩ規制に向けた議論も開始

規制という文脈では米国は同じタイミングで新たな規制の議論を始めました。アップルの発表会が開催された翌日に、米議会は大手テクノロジー企業に対してＡＩをどう規制すべきか、というルールづくりについて話し合う「ＡＩインサイトフォーラム」を開催しました。その第１回に大手テクノロジー企業の幹部らを招いたのです。

テスラのイーロン・マスクＣＥＯやメタのマーク・ザッカーバーグＣＥＯ、ChatGPTの生みの親であるオープンＡＩのサム・アルトマンＣＥＯなど、大手テクノロジー企業のトップがワシントンに集結しました。ＡＩを巡るルールや規制をどのように設定するか、想定しうるリスクにどう対処すべきか、という議論が非公開で行われました。

大手テクノロジー企業はＡＩに対して何らかの規制が必要という主張で一致しています。ただ、うがった見方をすればロビイング活動に近い側面もあります。これから出てくるスタートアップよりも先行組が主導権を握った今の状態で国際的なＡＩ規制のルールをつくろうとしているからです。

このフォーラムに出席した企業のなかにアップルの名前は伝えられていません。マイクロソフトは公益に重きを置く創業者のビル・ゲイツ氏もあえて出席させています。この辺りの政治的なバランスは、24年の米国大統領選を見据えた大手テクノロジー各社による手腕の見せどころともいえるでしょう。

テクノロジーの最先端企業が多く集まる米国の西海岸と、政治の中心地である東海岸のワシントンの間には物理的・文化的な距離があります。ＡＩインサイトフォーラムの意義は、コミュニケーションを積み重ねることで決して近くない距離を縮めることでしょう。米国のテクノロジー業界が政治とどう協力関係を構築するか、経済安全保障の問題も考慮した上で海外にどう対抗していくかといった様々な要素も含みます。

日本はテクノロジーにおける経済安全保障の枠組み構築に向けた議論は、米国での大きな動きとはかけ離れているのが現状です。

日本企業はこうした大きな国際的なテクノロジー規制の潮流に対して、ビジネスの視点でどう食い込み、ビジョンを発信するのか、考える必要があります。

リーダーシップを取ろうと意気込む英国

生成ＡＩムーブメントは世界に激震を与え、先端技術がもたらす社会の将来展望も大きく塗り替えました。２０２３年の年の瀬に追い込みをかけるかのように、各国はＡＩの規制や方向性に関する議論の整理に追われています。

英国で2023年11月初旬に「AI安全サミット（UK AI Safety Summit）」が開催され、企業が開発するAIの安全規制を中心に議論が交わされました。米国からイーロン・マスク氏、オープンAI最高経営責任者（CEO）のサム・アルトマン氏、米国のハリス副大統領らが訪英して登壇したのです。

中国からも参加があり、米中の緊張関係も焦点になりました。日本から岸田文雄首相も首脳級会合にオンラインで参加しました。議題自体に目新しさはなかったのですが、スナク首相が率いる英国がAI開発のリーダーシップを取ろうと意気込む姿勢は注目すべきでした。

現在、AI開発の中心地はどこかといえば米カリフォルニア州のサンフランシスコです。しかしアルファベット傘下の英ディープマインドなど、米国以外にも先端の開発を行う企業が存在しています。スナク首相はサミット開催を通じて、今後AI分野における英国のリーダーシップをさらに発揮しようとする意図が見られました。

驚異的なのは、この熾烈なAI開発競争に挑む企業の経営陣の年齢は30歳代がほとんどだということです。未開の領域を開拓する生成AIの現場では、もはやスポーツ選手に近い年齢層の経営者が競う場面が増えています。「知的アスリート」とも呼べる才能あふれた人材が集まるＡＩ業界では、「この道何年」といった経歴を重視しがちな日本企業は経営判断を誤る恐れが高いといえるでしょう。

OpenAI DevDayにはオープンＡＩと提携している米マイクロソフトのサティア・ナデラＣＥＯも登壇。さらに登壇した翌日にはオープンＡＩのGPT-4 Turboを23年中にマイクロソフトのクラウドサービス「Azure OpenAI Service」で利用可能にすると発表しています。

世界的な巨大企業でありながら、スタートアップ並みの素早さでしっかり一枚かんでくるマイクロソフトの動きの速さを再確認させられます。

一方で、11月の同時期に開催するアジア太平洋経済協力会議（ＡＰＥＣ）の首脳会議に合わせて中国と米国の首脳会談が行われました。日本の首相としては8年ぶりとなる岸田首相のサンフランシスコ訪問も実現しました。ＡＩ技術に使われる先端半導体の輸出制限など、法規制に関する議論がされました。

確かに、爆発的な進化を遂げている生成ＡＩが悪用されるようになれば、著作権や肖像権、商標権、プライバシー保護など、さまざまな問題が浮上することが予想されます。しかし、このような問題はインターネットの普及でも起きている問題であり、メリットとデメリットを考えた上でバランスを取らなければなりません。

デジタルデータとアルゴリズムに付加価値

2000年代にネットが本格的に普及し、ハードウェアからデジタルデータに価値の在りかが移り始めた際、多くの日本企業は経営判断を誤りました。データを使ってビジネスの優位性をどう築くかが、イメージできなかったのです。当時はまだネットの通信速度が遅く、スマートフォンやクラウドサービスも普及していなかった時代です。当時の技術の単純な延長線上に未来があると想定していたことが、デジタルデータの価値を過小評価させてきました。

実際に起こったことは、スマホやクラウドサービスの爆発的な普及とともにデータの活用によって新たな付加価値が生まれるという非連続的な変化です。もはやデジタル技術でデータを活用できなければ、ビジネスができなくなるといわれる時代になりました。ここまで実に20年かかりました。

同様の変化がさらに早く起きようとしています。例えば、日常の資料作成であれば、これまでの延長線のようにネットで検索したり、表計算ソフトウェアのエクセルで計算したり、文書作成ソフトのワードで報告書を作成したりするといった作業が大きく変わりつつあるのです。

もし、この3つの作業が自動化してより直感的にこなすことができるようになればどうなるでしょうか。まるで日本語変換ソフトのように、次から次へと仕事で使えるデータやグラフが出てくるとどうなるでしょうか。データを活用するのはもはや当たり前であり、今後はいかに賢く活用するかが問われます。

いわば、コンピューターの演算方法であるアルゴリズムがより価値を持つ時代になりつつあるのです。蓄積されたデータをどう処理して活用するかは、企業での資料作成の効率アップにとどまりません。消費者全般に及ぶ大きな変化です。

アルゴリズムの対義語はヒューリスティック（経験則）であり、日本の大企業の多くは経験則に偏り過ぎてきたといえるでしょう。意識的に経験則への依存を減らし、優れたアルゴリズムを構築できる希少な人材をビジネスに取り込まなければなりません。

17年に登場したトランスフォーマー（Transformer）と呼ばれるＡＩ技術の発表をきっかけに6年後、生成ＡＩのブームが広がっています。このブームの特徴は膨大なデータを読み込ませてもある程度、精度が安定しているという点です。

つまり同じデータを持っていたとしても、効率的なアルゴリズムの方がビジネスで優位になる確率が高まっているのです。これは、検索サービスでは実のところ後発だったグーグルが優れたアルゴリズムなどによって、当時のヤフーよりも一気にビジネスで優位に立ったこととと共通しています。

ハードウェアからデータ、さらに優れたアルゴリズムへと付加価値の在りかが移りゆく中で、企業は従来以上に素早くビジネスの将来展望を描き直していかなければなりません。そのためには企業の経営幹部が自ら生成ＡＩによる最先端技術の驚異的な進化を実感することが必須です。

第6分野

テクノロジーの地政学

米国

VS

中国

緊張高まる米中関係

米中関係が緊張するなか、米国務省をはじめとする約25もの政府機関のメールがハッカー集団に不正アクセスされたことが２０２３年7月中旬に明らかになりました。米国当局はハッカー集団の素性を公表していませんが、米マイクロソフトは中国に拠点のあるハッカー集団の「Storm-0558」だと発表しています。

２０２３年7月20日には米国のバーンズ駐中国大使などのメールに不正アクセスがあったことや、数十万通の政府関連のメールが流出した可能性があることを米ウォール・ストリート・ジャーナルが報じています。

特に話題になったのは、侵入したといわれる手口です。マイクロソフトのメールサービス「Outlook（アウトルック）」は多くの日本企業も使っているでしょうが、そのサービスを使うための認証トークンを何らかの形で偽造し、不正アクセスしたとされているからです。

新型コロナウイルス禍が拡大を始めた時期にも米国の政府や大企業の関係者を狙った大規模な攻撃があったことが２０２０年12月に明らかになっています。ネットワーク監視ソフトウェアを提供している米ソーラーウィンズ（SolarWinds）のソフトそのものがハッキングされるという皮肉な攻撃で、その際にマイクロソフト自体からも様々なコードが盗まれた可能性があるとされています。ただ、このハッキングとの直接の関係は明らかになっていません。

このようにサイバー攻撃が多様化する中で、ChatGPTなどに見られる生成ＡＩを活用した攻撃も増えてくるでしょう。ＳＮＳを使っている人は突然知らない異性から友達申請が来たことはないでしょうか。

以前であれば、たどたどしい日本語であったことから容易になりすましや詐欺目的のメールであるということが分かりましたが、現在は生成ＡＩの進化もあり、より流暢な日本語に進化してきています。うっかり友達申請を許可してしまったことによって、自分自身だけではなくSNSでつながっている他の人の情報も入手され、二次被害が拡大するおそれがあります。

中国企業に米国マネーが流れることを阻止

その意味でバイデン米大統領がいち早くAI規制に向けて米大統領令を準備していると発表したのは重要だといえるでしょう。生成AIのオープンAIや、オープンAIに出資しているマイクロソフト、グーグルのほか、アンソロピックなどの新興ベンチャーを含む7社のトップと2023年7月21日に会談をして、責任あるAI技術の開発につなげようとしています。

さらにバイデン政権は中国企業に米国マネーが流れることを阻止しようとしています。21年には華為技術（ファーウェイ）をはじめとする中国のテクノロジー企業など59社に、米国民が株式投資することを禁じた大統領令を発表しています。

その後もドローンや監視機器のメーカーなどの中国企業が投資禁止リストに続々追加されています。民間企業と中国政府が緊密な関係を築いていることを考えれば、テクノロジーが軍事利用されるリスクも大いにあるからです。アップルがＭａｃやｉＰａｄの生産工場を中国からベトナムやインドなど、他のアジアの国へと続々移管していることも、関連リスクを懸念してのことでしょう。

23年6月には米大手ベンチャーキャピタルのセコイア・キャピタルが、同社のグローバル事業を米欧、インド・東南アジア、中国の3部門に分けて、中国事業を完全に独立させることを決定しています。また翌7月には米連邦議会下院の特別委員会が、米ベンチャーキャピタル4社に対して、対中投資に関する懸念を踏まえて詳細な情報を説明するように要請しました。

そのうちの1社であるＧＧＶキャピタルは、顔認証ＡＩを開発した中国の曠視科技（メグビー）への投資を行っています。このテクノロジーは新疆ウイグル自治区におけるウイグル族の人権侵害にも関与しているとの懸念があるといわれています。

一連の出来事を俯瞰して見ていくと、ベンチャー企業であっても、いよいよ米中間の安全保障の枠組みに翻弄されることが避けられない時代になった、といってもいいでしょう。日本では同年7月23日から半導体関連の輸出規制が始まりました。日本は米国との関係が切り離せない以上、中国のベンチャー企業との関係構築を検討するのであれば両国間でバランスを取ることが求められるでしょう。

分断の一方で多様な人材育成も急務

一方で、米中関係で経済的な面では歩み寄りの試みも見られます。２０２３年6月にはブリンケン米国務長官が訪中し、7月20日には御年１００歳のキッシンジャー元米国務長官がそれぞれに北京を訪問して習近平国家主席ら要人と会談を行っています。7月上旬にはイエレン米財務長官が李強（リー・チャン）首相らと会談しています。

外交面、経済面では歩み寄りつつ、水面下ではサイバー攻撃で大いに揺さぶられている、という見方もできるでしょう。テクノロジーが世界に与える影響力がかつてなく強まる中、新しいテクノロジーを生み出す研究者や才能がある多様な人材の育成も急務です。

実は中国では23年7月16日に、新しく始めた「国際基礎科学大会」を北京で開催しています。この大会は「基礎科学に焦点を当て、人類の未来をリードする」をテーマに、数学や物理、コンピューター・情報科学の3つの基礎科学の分野を中心に学術討論・交流をするというものです。米国や日本も含む世界の研究者らを対象に、過去5年間でインパクトを与えたとされる論文を執筆した研究者や、過去30年に多大な貢献をした研究者らに賞を授与しています。

日本では23年7月には112の国と地域の高校生らが参加する「国際数学オリンピック」が千葉市で開催されました。日本での開催は20年ぶりです。23年は日本が6位と健闘していますが、国別の上位トップ3は過去5年間、中国と米国、韓国、ロシアが争っています。

23年は中国の参加者6人全員が金メダルを受賞しました。ロシアはウクライナへの軍事介入のため22年以降は国別の評価はされていません。ただ、米国の参加者には中国からの移民の人も多く、インドも9位と急激に順位を上げています。

参加した若手は10年、20年後の２０３０～40年代に新しいテクノロジーやサイバーセキュリティーの分野で重要な貢献をする可能性が高いでしょう。そう考えれば、日本の新たなテクノロジービジネスやサイバーセキュリティーの分野での立場の危うさが予測できるのではないでしょうか。

逆にこうした人材を将来いかに取り込むことができるかが重要といえます。特にサイバーセキュリティーの分野は暗号理論が関連することから、数学の素養が重要です。全ての科学技術の人材育成や採用を日本で完結させる必要はありません。テニスなどのスポーツと同様に、海外で教育を受けさせた方がうまくいく場合もあります。

米連邦最高裁判所は２０２３年6月にハーバード大などの入試選抜で人種による優遇措置を講じる「アファーマティブ・アクション」と呼ばれる制度を採用しているのは「違憲」だとする判決を出しました。入試がアジア人に不利であったとされています。このことによりアジアの中でも特に願書を出す比率が少ない日本人が今後入りやすくなる可能性も高まっています。

企業の場合はサイバーセキュリティーや技術開発など、難しそうなことは外注すればその場しのぎにはなります。しかし重要なのは、いかにデジタル技術などの新しいテクノロジーを単にビジネスモデルに組み込むだけではなく、経営のビジョンとして取り込み続けるものにできるかでしょう。

これは企業だけではなく公的機関にもいえることです。そのためには組織として取り込む専門人材の多様性がより重視されるべきです。サイバーセキュリティー、生成ＡＩなどの技術力を高められる「強くなるための多様性」が日本には求められています。

第7分野

無人タクシー・EV

モビリティスタートアップ

VS

自動車メーカー

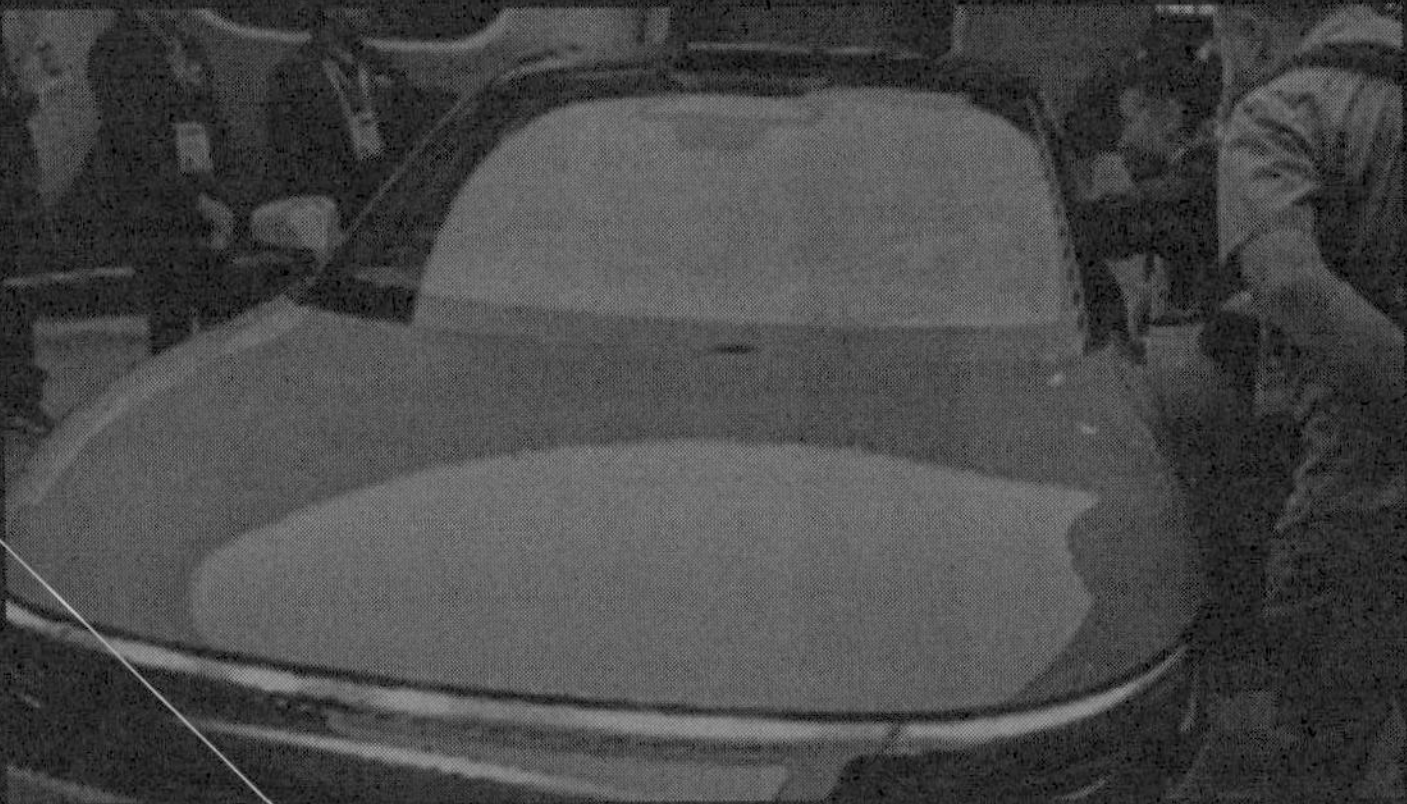

ホンダとGMが無人タクシー導入

ホンダが2026年から東京都心部で無人の自動運転タクシーサービスの提供を開始すると発表しました。26年はホンダがソニーグループと開発している電気自動車（EV）である「AFEELA（アフィーラ）」の納車を始める予定とされている時期でもあります。自動運転技術の勝者はあと数年ほどで決まりそうです。

2023年10月28日に一般公開が始まった自動車や移動技術の展示会「ジャパンモビリティショー」で自動運転タクシーサービスを行う車両「クルーズ・オリジン」が日本初公開となりました。ドライバーのための運転席が設けられていない自動運転タクシーです。

ホンダと20年以上にわたって緊密な協業関係を築いてきた米ゼネラル・モーターズ

（ＧＭ）、および傘下にある米ＧＭクルーズホールディングスの3社は自動運転タクシーサービスを提供するための合弁会社を24年に設立すると発表。ＧＭクルーズの自動運転タクシーは配車から決済までスマートフォンアプリで完結するので人間のドライバーが不在です。いよいよ日本でも自動運転タクシーが走行する未来が間近に迫りつつあります。

クルーズの運行許可の停止

ところがホンダによる発表のわずか数日後にＧＭクルーズは全車両の自動運転走行を一時停止することを発表しています。自動運転タクシーによる衝突事故が続いたことを受けて、米カリフォルニア州の車両管理局（ＤＭＶ）が「公道を走行する上での安全性が確保できない」と判断したためです。

この報道だけを見ていると自動運転の先行きは危ないのではないかと思い始めた

り、「それ見たことか」と留飲を下げたりする人が多くなりがちです。しかし、それは自動運転の技術開発における競争の一部しか見ていません。技術の先行きについて判断を誤るおそれがあります。

例えば、ＧＭクルーズと並んで業界をけん引しているグーグルの持ち株会社アルファベット傘下のウェイモ（Ｗａｙｍｏ）の運行許可は取り消されていません。２０２３年9月末には走行範囲がサンフランシスコ市内のほぼ全域に拡大され、24時間走行の許可を取得しています。さらに、運行範囲も高速道路や別の市も含むエリアまで拡大することを２０２４年1月25日に発表しています。むしろＧＭクルーズとは対照的な動きを見せているのです。

クルーズの運行許可の停止とほぼ同時期に、米アリゾナ州フェニックスでは配車アプリの米ウーバー（Ｕｂｅｒ）から、ウェイモの完全自動運転タクシーを呼び出せるサービスの提供が始まっています。ＧＭクルーズが安全面の向上を進めている間に、ウェイモがさらなる範囲拡大を遂げていく可能性も十分にあるでしょう。

ＧＭクルーズホールディングスはホンダから出資を受けているため、日本では相対的に多くメディアに取り上げられがちです。しかし自動運転技術に関しては他にも多くの候補がひしめいています。

アマゾンが買収したズークス

派手さよりも新規事業への粘り強さで知られるアマゾン・ドット・コムが子会社として買収した米ズークス（Ｚｏｏｘ）は物流に力を入れると思われます。アマゾンのネバダ州ラスベガスにある開発拠点の人材を約16％増やしたり、サンフランシスコ近くのヘイワードと呼ばれる地域に大型拠点の設立を予定したりして投資を続けています。

ズークスは２０２３年６月にラスベガスの公道でロボタクシーのテストを開始しています。この分野はカリフォルニア州以外にもアマゾンの本拠地であるワシントン州シアトルやラスベガスなど別の地域も見ておかなければなりません。

「70年」遅れの日本

翻って日本に目を向けると、国会ではタクシー不足が深刻な問題になるなか、自動運転タクシー以前のライドシェア導入の議論が再び注目されています。ライドシェアの先駆けであるウーバーが12年に自家用車を活用した配車サービス「ウーバーX（Uber X）」を導入してから既に10年以上たっています。

先端テクノロジーの世界では技術の進化が速いためドッグイヤーという言葉が使われてきました。犬の1年は人間の7倍に相当するといわれており、約2カ月が1年分の動きに相当します。その意味では、先端テクノロジーを先導する人にとって日本は実に70年分遅れているように見える計算になります。

いま日本が最優先ですべきことは、海外に比べて何周分も遅れているライドシェア導入に加えて、自動運転タクシーの実装も視野に入れた検討をいち早く進めていくことでしょう。順調に行けば26年には東京の街をドライバー不在の完全自動運転車が走行するようになります。

ホンダの発表によると、まずは数十台でスタートしたあと、500台規模での運用を見込んでいます。難度の高い都内の走行にまつわる諸問題をクリアしていけば、交通量が少ない地方での自動運転タクシーは普及に向けたハードルがぐっと下がります。

まずは法人向けの自動運転タクシーで利益が回収できるビジネスモデルを確立させれば、ゆくゆくはエリアや運行時間を拡大させると同時に、自家用車の自動運転化の割合も徐々に増えていくことが予想されます。関連する企業はこうした未来を予測し、既にさまざまな手を打ち始めているはずです。

勝敗決める世間一般の目線

最近では米国の街中でテスラが発売した新型ＥＶ「サイバートラック」をちらほら見かけるようになりました。あまりにユニークな見た目の電動ピックアップトラックは当初こそ「あんな車が売れるわけがない」と否定的な反応ばかりが多く飛び交いました。しかし世間の目が慣れたうえで消費者に普及し始めると、評価が一変する可能性は十分にあります。

人間が運転するタクシー料金のうち、約７割を占めるのは人件費だといわれています。そのため完全自動運転タクシーが普及してマーケットの拡大が進めば、人間の運転手よりもタクシー料金が安くなる可能性は十分にあります。運転手のいるタクシーか完全自動運転タクシーかを選べるようになったら、どのぐらい安ければ多くの人が自動運転車を選ぶでしょうか。

運転手がいない車内での不安感と、人の目を気にしなくても楽しめる車内エンターテインメントや乗車中に仕事をこなせる効率性のどちらが勝ることになるでしょうか。業界関係者よりも多くの一般消費者がどう動くかをシビアに見極めなければ、大きな方向性を見誤ってしまいます。

自動運転のような新たな技術がどう社会に受け入れられるかを見極める際に必要なのは、自分の予想に沿わない事象が起きたときに複数の報道なども踏まえて多面的に見ることです。特定の見方ばかり過度に注目して、「それ見たことか」と自らの思い込みに反する証拠を心理的に受け付けない「確証バイアス」に惑わされてはいけません。

日本で企業経営に関わる立場であれば、長期的に定点観測を続けて10年後に普及の可能性が高まっているかを見定める必要があります。将来起きうる確率を単なる点としてだけでなく、その「振れ幅」まで含めて考える必要があるのです。

その確率が実現可能に近いと判断したならば、逆算して現在何をすべきかとアクションにまで落とし込まなければなりません。

もし、このＡＩの進化の速度についていけていないとすればどうしたらいいでしょうか。時間はかかりますが、新たな人材獲得や買収などを通じて進化についていける能力を組織として獲得するのを相当前倒しで考えて結果につなげなければなりません。

自動運転が注目を集めているのは米国だけではありません。中国の主要都市でも既に自動運転タクシーのサービス提供が続々と始まっています。中国では17年ごろに自転車共有サービスがややバブル気味に爆発的に進んだあとに大きな失速がありました。このように新サービスや技術の普及はスムーズに行かないことはありますが、自動運転技術が世界の自動車産業界における大きな波であることには変わりはありません。

中国新興企業の小馬智行（ポニー・エーアイ）は中国各地で自動運転タクシーの運行を広げています（広東省広州市）。協業するトヨタ自動車が商用化に向けて合弁会社を設立すると2023年8月に発表しました。

この波をどう乗りこなすのか、沈んでしまうのか。予想以上の速度で進む熾烈な争いは、この数年で勝負が決まるでしょう。

米国で完全無人の自動運転タクシー

カリフォルニア州サンフランシスコ市内で2023年8月10日、運転手不要の「完全自動運転タクシー」が24時間営業を認められました。自動運転の技術は実現すれば早晩、スマートフォン以上の衝撃を日本の自動車市場にもたらすでしょう。

サンフランシスコでも根強かった反対論

同州当局が認可したのは、アルファベット傘下の「ウェイモ（Waymo）」と、米ゼネラル・モーターズ（GM）傘下の「GMクルーズ（GM Cruise）ホールディングス」の2社です。サンフランシスコ市内においては、2022年6月から自動運転タクシーの走行が始まっていました。

ただ利用するには様々な制約があったのです。利用時間は深夜から早朝の時間帯のみで、走行エリアも市内の中心部に限定されていました。利用するには登録待ちが起きているリストに登録される必要があるなどの制限もあったのです。いわば制約の多いテスト段階にとどまっていたのです。

それがここに来て、まず利用時間の制約が解除されて24時間いつでも呼べるようになりました。今後は有人タクシーと比べて乗車料金をどの程度下げて顧客体験を高められるかが勝負になるでしょう。例えば、同じ走行距離を人間のドライバーが運転すると10ドルになるのに対して、人件費がかからない自動運転車は3ドルとなれば、後者を選ぶ人が増える可能性が高まるでしょう。

これは新しいテクノロジーのほとんどが直面する課題です。最初のうちは新規性で話題にはなっても、戸惑いや不安、抵抗感を覚える人のほうが多数派になりがちです。「アーリーアダプター」と呼ばれる新しい物好きな人たちが利用を始めても、多くの人はある程度普及が進むまで使わず、「キャズム」と呼ぶ深い溝を越えることができるかどうかで実際の生活に溶け込むかが決まります。

このキャズムの存在は自動運転についても当てはまるでしょう。サンフランシスコは基本的に新技術に対するアーリーアダプターが比較的多い街です。そのサンフランシスコであっても、州当局の認可決定に際しては根強い反対意見が出ました。長時間にわたって議論が紛糾したと報道されています。

もちろん自動運転車であるがゆえのアクシデントは想定されます。ただ、デメリットばかりを前面に出していると公正な評価はできません。反対意見が妥当なものかは良く吟味しなければなりません。

例えば交差点で衝突が起きた場合に、人間が運転した場合と比べて多いのか少ないのかは統計的に評価しなければなりません。自動運転での事故のほうがニュース性は高いので、得てして自動運転のデメリットのほうが過大に評価されてしまいがちです。社会の利益よりも一定の既得権益を優先するがために、わざとデメリットを過大に訴える人もいるでしょう。そのバランスをよく見極めなければなりません。

筆者も配車を試みましたが、台数が少なくウーバーなどのライドシェアよりも迎えに来る車の到着が遅く、運転も人間よりも丁寧なため少し遅く感じることがありました。料金は既存のライドシェアと同等の金額を当初は取っていたため、ドライバー不在の完全自動運転という新鮮さを考慮しない場合の利得というのは今のところ限定されています。ウェイモは2024年3月初旬にはサンフランシスコ市内などの既存地域のみでなく、高速道路やグーグル本社も含む近郊一帯やロサンゼルスなど他の地域などにも営業許可が拡大しています。

スマホ以上に市場席巻の恐れ

特に自動運転のソフトウェア技術は国境を越えて他社にライセンス供与される可能性が高いものです。例えるならば、スマホが日本の携帯電話市場を変えた以上のインパクトにつながることも見込まれます。

規制は他国の企業の参入を遅らせる防波堤という守りの一つの手段にはなります。しかし解禁された場合は、他国で十分すぎるほどのノウハウを積んで参入してくるので、もはや国内企業だけで競争に打ち勝つのは難しくなります。

これは経済合理性の視点からもいえることでしょう。スマホの場合はアップルのｉＯＳやグーグルのAndroidの２つが主なＯＳの大きなシェアを握っています。

２００７年ごろから開発競争が激化しましたが、早々に市場が形成されました。

なぜなら多額の投資や、ユーザーインターフェースの改善によって多くのユーザーの獲得が進み、アップルやグーグル以外のサードパーティーが開発したアプリの増加も鍵になったのです。２０００年からＯＳを提供していたマイクロソフトの「Windows Mobile」や、アマゾン・ドット・コムの「Fire OS」、スマホ市場で先行したブラックベリーによる「BlackBerry OS」は大きく引き離されてしまいました。

特にアンドロイドは03年に設立された独立企業でしたが、05年にグーグルが買収して他社にライセンス供与をすることによって、ｉＯＳとシェア争いを繰り広げています。利用者が増えるとサードパーティーも含めたアプリの質も向上するという循環が起きる「フィードバックループ」は、ハードと比べると段違いの速さで進み、非常に強い競争力を生み出します。

車内エンタメも巻き込む競争に

モバイルＯＳの歴史を自動運転の今の状況に当てはめて考えてみましょう。先行するウェイモ、ＧＭクルーズに加えて、テスラなども自動運転のソフトを他社に供給するでしょう。テスラは２０２４年８月８日に自動運転タクシーサービスを開始すると発表しています。これは自動運転技術が車種にとどまらずソフトベースでのシェア争いに切り替わって市場を形成する流れにつながるでしょう。

このソフトが搭載するのは自動運転の機能だけではありません。例えば、走行中に車内モニターで映画やゲームを楽しめるといったエンターテインメントを含む居心地の良さを提供していく機能も含みます。

こうした将来を見越してホンダはＧＭクルーズに対して２０３０年までに約３０００億円を投資する計画を18年10月に公表しています。さらにソニーグループと組んで、車内のエンタメ空間を売りにしようと、新型の電気自動車（ＥＶ）「AFEELA（アフィーラ）」を開発しています。

テスラ最高経営責任者（ＣＥＯ）のイーロン・マスク氏は２０２３年7月中旬の決算報告で「自動運転のライセンスを他社に与えることを協議中」と発言しています。かねて他社との協業について発言してはいましたが、同じく7月中旬には自社の急速充電設備である「スーパーチャージャー」の技術仕様を米フォードやＧＭにも開放する契約を結んだことで、自動運転ソフトによる市場競争も現実味が増してきました。

特に現在の自動運転ソフトのボトルネックは「エンジニアというよりは演算処理」であるとマスク氏は発言しています。この演算処理は21年に発表していた「Ｄｏｊｏ」というスーパーコンピューターが23年7月に稼働したことによってより改善が見込まれます。

日本企業は存在感を示せるか

このようなソフトとハードの囲い込み競争が激しくなっている中で、どの企業が最終的にシェアを握るのかは依然として不透明です。アップルは、10年以上開発を続けていたとされる自動運転電気自動車開発チームをＡＩチームに移籍したという報道も２０２４年2月には出ています。ただ懸念されるのは、日本企業がこの囲い込み競争の中でスマホ時代と同様に大きな存在感を示せていない点です。

23年も日本から多くの企業の経営者や政治家、大学の幹部がサンフランシスコを訪れていました。しかし、ほとんどの来訪者は自動運転を体験できるにもかかわらず、何も体験せずに帰国してしまって危機感が伝わらないままなのでしょう。スマホ市場から淘汰されてしまった日本企業の失敗の繰り返しを避けるためにも、自分の業界でできることは何かを今こそ考えて対策を打たなければなりません。

ベトナム新興ＥＶメーカーが米国上場

ベトナムの「ビンファスト（VinFast）」という電気自動車（ＥＶ）メーカーをご存じでしょうか。先端テクノロジー見本市「ＣＥＳ」などへの大々的な出展攻勢をかけていたベトナムの新興企業が、様々な意味で世界に衝撃を与えています。

ビンファストは２０２３年8月に特別買収目的会社（ＳＰＡＣ）との合併を通じて米ナスダック市場へ上場しました。同社の時価総額は一時１９１２億ドル（約28兆円）に達し、自動車メーカーでテスラやトヨタ自動車に次ぐ世界第3位に浮上しました。しかし、その後はわずか数日で約7割も急落し、２０２４年3月時点では約２兆円の時価総額で取引されています。

ビンファストの上場は急成長するスタートアップ企業の光と影を見せつけて様々な意味で世界に衝撃を与えています。なぜ衝撃的なのか、順に見ていきましょう。

ベトナム国内の販売台数はわずか約7000台

ビンファストはロシア留学の経験があるファム・ニャット・ブオン氏がウクライナで創業したベトナム最大の複合財閥ビングループの傘下にあるベトナム初の自動車メーカーです。同グループはベトナム株式市場に上場しており、2024年3月現在の時価総額は約2兆円あります。

ビンファストはゼネラル・モーターズ（GM）が買収した韓国の旧大宇自動車の生産拠点「GMベトナム」を18年に買収し、22年にはEVに事業を絞るなどして、グローバル市場に合わせて急速に事業を拡大してきました。18年に東南アジア諸国連合（ASEAN）の域内で関税が撤廃されたことを受けて、ベトナムが海外からの輸入車に対抗するための国策としてＥＶで巻き返しを図るという背景もあります。

この米国上場も本格的に米国に参入しようとする意図をうかがわせます。米ノースカロライナ州で生産拠点を設立して25年から稼働すると発表し、テスラのショールームの跡地などに新たなショールームを構えるといった戦略を次々と打ち出しています。

驚きなのは22年のベトナム国内でビンファストのＥＶ販売台数はわずか約７０００台にすぎないのに、野心的にグローバル展開を進める経営スピードです。中国のＥＶメーカーへの対抗など、地政学的な理由や経済安全保障の観点もありますが、それらを加味しても異様な速さです。何らかの別の力学が働いているのかを見ておかなければなりません。

上場目的に疑問符も

ビンファスト株式の99％を実質的に保有しているのは、ベトナムで一番の富豪で創業者であるブオン氏です。逆にいえば市場に流通する浮動株が1％にも満たないという状態であるため株価が変動しやすく、乱高下を引き起こしやすい状況にあります。

つまりビンファストは上場によって成長資金を獲得するというよりも、マーケティング戦略の一環として「ナスダックに上場した」という実績をアピールしたいように見えます。こうした上場の在り方では市場の健全な発展につながりにくいことは容易に想像できるでしょう。

ビンファストがナスダックに上場した手法にも批判があります。マカオのカジノ王、ローレンス・ホー氏が設立したSPACとの合併を通じて行われており、設立者自身は合併が実現すると手数料が利益になる仕組みです。21年に流行した

ＳＰＡＣを通じた上場は「裏口上場」といわれる面もあり、通常の上場よりも審査が簡略化されています。

最近はＳＰＡＣを通じた上場によって上場後に株価が大幅に下落したり、不祥事が発覚したりといった事態が相次いでいます。このことから米国でのＳＰＡＣを通じての上場は公表された件数だけでも最盛期だった21年の約６００社から、23年の上半期には約20社に減っています。

この現象は日本も無縁ではありません。日本でも最近、ナスダック市場に上場する企業が増えてきました。本来は東京証券取引所のグロース市場が日本のスタートアップの主な上場先です。

しかし21年の株価下落以降、日本国内でのスタートアップへの投資家の目が厳しくなり、かつての評価額での上場は難しくなっていました。スタートアップの業界では評価額が下がった状況で資金を調達する、いわゆる「ダウンラウンド」は基本的に避けるべきものとされています。

もし米国や海外での売り上げが拡大する見込みが十分にあり、時価総額も10億ドル以上の大規模なスタートアップであれば、ナスダックに上場する意義は大いにあるでしょう。ナスダックは他国よりは流動性があるため、海外からの上場がしやすい環境になっています。

しかし米国を含む海外での売り上げが増える見込みが少なく、上場直前の資金調達時よりも企業評価額が下回った状態で上場する場合、上場の意義は少ないといえるでしょう。あるとしてもマーケティング目的や既存の投資家への流動性を確保する手段としての意味が大きくなります。

上場後に不祥事が発覚して株価が急落するケースが出てきており、場合によっては日本からナスダックに上場するスタートアップが敬遠されることにつながりかねません。上場した瞬間の株価動向や日本の一部のメディアによる報道だけに頼るのではなく、その後の企業成長や株価の動向も見続けなければなりません。

CES2024に見るモビリティの最新動向

世界最大級のテクノロジーの見本市と言われるCESが2024年もラスベガスで開催されました。参加されたことがない人に説明をするとCESは〝Consumer Electoronics Show〟もともと消費者向けの電気製品の見本市（ショー）でしたが、2018年からは消費者向け家電という枠組みを外し、CESという略語そのものを正式名称にしています。

注意しなければならないのは、このイベントは世界〝最大級〟のショーと標榜しており、世界〝最先端〟を意味しているわけではないということです。主催者にとっては、先端でなくとも出展者や来場者が増えれば利益が増えますので、ある意味、奇をてらった出展者を逆に引き寄せる構造になります。1年前に大きなサービスの発表を行った企業が次の年には出展さえもしないということが起こるのです。

そういった意味では、何が出展されていないか？の方が大きな意味を持つ見本市でもあります。例えば、自動運転でいえば、2024年1月現在もサンフランシスコで運行しているWaymo（グーグルの関連会社）が最先端の一部になっていることは多くの人が認識していますが、CESでは特に大きな発表を行っていません。

生成AIが2024年のCESの最大のテーマであると言っても、肝心のChatGPT開発組織であるオープンAIや出資元であるマイクロソフトは最先端の発表を行っていません。なぜでしょうか。グーグルなどの大きなテクノロジー企業は自分たちのイベント（例えば、6月頃に開催する各社の新製品発表のイベント）に十分に世間からの注目を集め、ニュースにすることができるからです。

わざわざ高い出展料を払って、かつ他の企業の新製品の発表にぶつかるような形で発表をするのは、せっかくの発表を埋もれさせてしまいます。

つまり、テクノロジーに関する発表で十分に注目を集めることが難しい企業がCESに集まり、逆にテクノロジーに関する発表で十分に注目を集めることができる企業はＣＥＳでは提携パートナーを探しこそすれ、新サービスの発表などを行わないという、いわゆる逆選択の構造が生じます。

これは基調講演を行う企業を見ていてもわかるでしょう。航空会社のデルタ航空や小売のウォルマートなど「え、あの企業がテクノロジーに力を入れているのか？」という意外性を持たせたい場合もあります。

このことを念頭に置いて２０２４年の動向を見ていきましょう。最大の焦点は生成ＡＩの活用です。生成ＡＩブームの火付け役となったChatGPTがリリースされたのが２０２２年11月末でしたので、翌年のＣＥＳ ２０２３にはほとんどの企業が生成ＡＩをどう取り組むかは十分に反映されていませんでした（例えば、ＣＥＳ ２０２３での主催者の提唱する主なテーマの一つはメタバースオブシングスやウェブ３でした）。

それから1年が経ち、各企業が生成ＡＩを自分たちのビジネスにどう取り込むかという姿勢が明らかになったのが２０２４年の特徴といえるでしょう。多くの企業は自分たちでの生成ＡＩの開発というよりは、既存の生成ＡＩと提携してどう成果をだすかというスタンスでした。

ソニー・ホンダモビリティとマイクロソフトの提携

ソニー・ホンダモビリティによるAFEELA（著者撮影）

ソニー・グループとホンダの共同会社であるソニー・ホンダモビリティはマイクロソフトのプロダクトマーケティング担当幹部のジェシカ・ホーク氏と登壇し新しい電気自動車AFEELAに生成ＡＩを搭載すると発表した一方で、小売の世界最大手であるウォルマートはマイクロソフト社長であるサティア・ナデラ氏が登壇して生成ＡＩの購買への活用を発表しています。

折しも、アップルの時価総額を一時的に追い抜いたものの、これまで新技術では出遅れていたマイクロソフトが、生成ＡＩにおいてオープンＡＩの出資を通じて息を吹きかえそうとしていると言えます。

ただ、電気自動車のAFEELAについては、エンターテイメントはともかく肝心の自動運転技術はどの程度の性能なのかは実車で十分には示されておらず、２０２６年の発売に向けて商業的な成功が見えません。

自動運転の最新動向

また、対照的にＣＥＳ中においては自動運転は注目が弱まったような印象です。２０２３年までＣＥＳの基調講演での常連だったゼネラル・モーターズ（ＧＭ）はサンフランシスコでの自動運転タクシーでの事故のためか、２０２４年は主な発表を

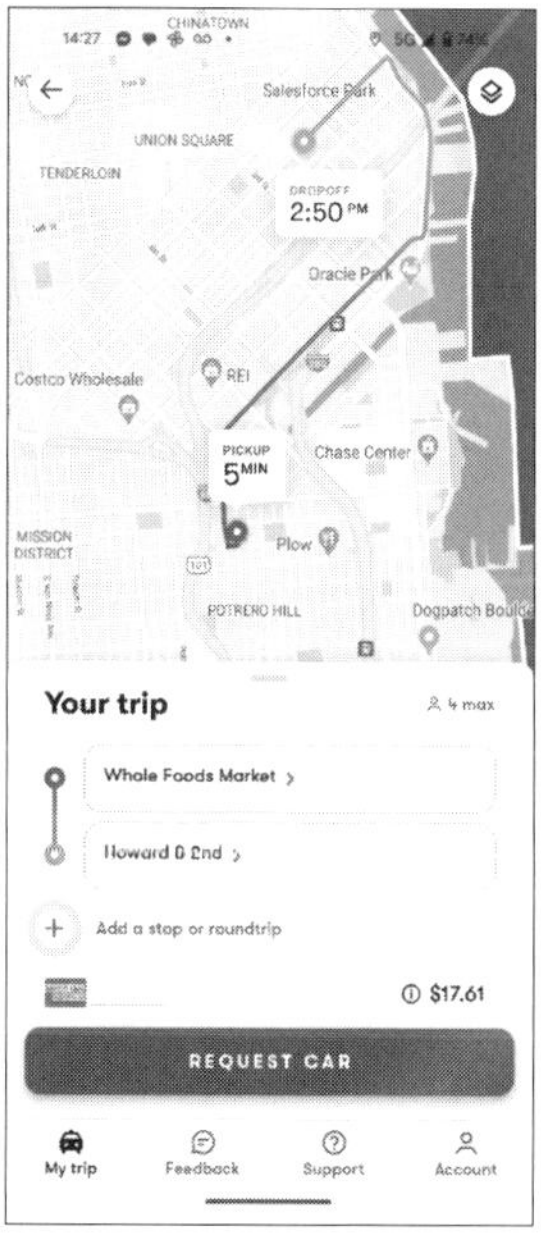

Waymoのアプリ画面

行っていません。
一方で、競合であるグーグル関連会社のWaymoは着実に自動運転サービスを拡大しており、商業的な持続可能性はともかく、技術的に可能であることを示唆しつつあります。もはや未来の技術ではなく、できることが前提であるなかで、ズークスなどの他の自動運転の企業が展示をしていましたが、大きな注目には至っていません。

また、モビリティ関連では例年、屋外で大きなブースを構えていたHERE Technologies社のブースが小さくなっていたことが特徴的です。オランダ発のHERE社はノキア傘下になったあと、ダイムラー、ＢＭＷ、アウディなどのドイツの自動車大手が共同買収をした会社ですが、その後、パイオニアが投資をしたり２０２０年に三菱商事とＮＴＴが同社の株の3割を取得するなど、日本の大企業が大きく投資をした企業です。しかし、モビリティの競争が激化するなか、地図情報で差別化することの難しさを窺うことができます。

アマゾン子会社のZoox（著者撮影）

スマートホームやデジタルヘルスという概念ももはや当たり前になりました。その上で、生成ＡＩなどを活用しどこまで人間に使いやすいサービスができるかという差別化の時代になってきています。これは２０２４年1月10日にグーグルでのスマートホーム関連や健康デバイス「フィットビット」での人員を削減し、生成ＡＩに集約すると発表している動きに象徴されています。

小売のテクノロジーについても、ラスベガスの空港には２０２４年年、Just Walk

Outというアマゾンの技術を使ったレジなし簡易コンビニが設置されており、登録者は手のひらをかざすだけ、登録していなくともクレジットカードを読み込ませるだけでレジなし自動決済を行うことができます。

国別では韓国が景気悪化を受けてか、ＬＧなどの展示がやや控えめになっていました。透明なモニター自体は既に開発されているもののため、目新しいものではありません。しかし、スタートアップ関連ではアジアの中でも大きな存在感を引き続き示しています。

Just Walk Out（著者撮影）

各大学もブースを大きく構え積極的な姿勢を見せています。スタートアップでの特設エリアだけでなく、メイン会場のホールにも大きく食い込んだ展示を行っていたのも特徴的です。

一方で、2023年秋に行われたAPEC（アジア太平洋経済協力）での中国と米国のトップ会談が行われた成果のためか、アリババなど中国企業の出展が一部増えています。

日本企業もAGCやダイキン、スタートアップなど展示が洗練されたところがありますが、一方で、初参加のところなどはどうビジョンを提示すれば良いのか模索しているところも見受けられます。

CESは年始に行われることから、その年のトレンドを手軽に知ることができるというのがこれまでの常識でした。特にハードウェアについては実機を見ることが重要なため、貴重な機会になります。

しかし、ビジネスにおいて生成AIやソフトウェア性能の重要さが増すにつれ、CESの中だけで見ることのできるトレンドには限界が来ています。実際に重要な先端のソフトウェアは提携先の企業によって開発されているため、CESで展示できるものが先行指標になりにくくなってきているのです。

CESの会場だけでなく、オープンAIやグーグルなど他の先端テクノロジー企業の最新動向も併せて考えなければならない時代が既に来ています。

このように先端テクノロジー企業の動向はめまぐるしく変わります。米国の大手企業で成長している経営陣は漏れなく前のめりになって最新の情報をキャッチアップし、自らも学び続けています。最新の情報とトレンドを取りに行くのであれば、日本語のメディアだけでは不十分です。生成ＡＩの翻訳機能もフル活用して、トップ自らが海外メディアの情報をいち早く入手し、頭に叩き込んでおくべきでしょう。例えば「ChatGPTは無料で十分」と思っているのであれば、まずは有料版も試してその精度・性能の差もぜひ体感してみてください。生成ＡＩという優秀なチューター（指導官）を個人で雇うのだと考えれば、月額料金は決して高くはありません。また、グーグルの検索機能と同様で、大勢かつ多様な人々が使えば使うほどに改良されていきますからネットワーク効果を持ちます。

そういう意味では、２０２０年代の生成ＡＩ戦国時代は、かつてのインターネット黎明期にもよく似ている状況だといえるでしょう。各社は様々なサービスを矢継ぎ早にリリースし、大勢がそれらを試し、生き残るものと淘汰されていくものがある。

生成ＡＩ競争でどこが覇権を握るのかは、現時点ではまだ予想がつきません。だからこそ、自分の目で見て、手で触れることで、この黎明期のカオスな状況を肌感覚で学んでいく必要があります

また、もしも最新のテクノロジーが生み出される源流にまで目を向ける余裕があれば、スタンフォード大学周辺の研究者たちもぜひフォローしてみてください。かつては「東のハーバード、西のスタンフォード」と言われるほどに拮抗する名門校として知られていましたが、コンピューターサイエンスに強く、現在は生成ＡＩテクノロジーの優秀な研究者を次々と輩出しているスタンフォードが際立って影響力を持っています。先端技術を扱う企業の技術者や経営陣を見ても、スタンフォード出身者が多いことに気づくでしょう。

50代、60代のベテラン層は最新技術の知識だけでなく、経験値の厚さ、知見の豊かさこそが強みです。既存の産業が破壊されることを恐れて守りに徹するのではなく、最新テクノロジーの本質を理解し、自分たちのビジネスにどう活用できるかをぜひ検討してください。

結びにかえて
～スタートアップ支援と日本の競争力

ＡＩやインターネットなどの新技術で、ビジネスの世界にゲームチェンジが起きました。一方、多くの日本企業の経営陣は新技術に門外漢で、無自覚に悪手を打っています。日本は「技術ビジネス音痴」の状態に陥っているのです。

この違いは、組織の意思決定構造にも起因します。本来、企業の経営と執行は分離され、取締役会での議論を経て方向性が決まります。しかし、日本企業の取締役会は多様な専門性に欠け、ビジネスの未来を考える際に死角が生じます。

さらに根源的な悪影響があるのは、日本の前例主義や年功序列システムでしょう。新しい技術を使ったビジネスに前例などありません。経験のある専門家もいません。技術の専門家がビジネスを読み解けるとは限らず、ビジネスの専門家も技術動向には詳しくないのです。

ゲームチェンジが起きた際、その技術が社会に浸透するかどうかを見極めるにはどうすればよいか。質の高い意思決定とはどのようなものかを考えます。

機会を逃さない仕組み

アマゾン・ドット・コムは、本のネット販売から始まりましたが、会社としての「本業」は決まっていません。常に「顧客にとって大事なことは何か」を問い続け、事業も進化し続けているのです。日本ではまだ「ネット通販の会社」という印象が強いですが、利益の半分以上は2006年に始めたクラウド事業が占めます。近年も生鮮スーパーに続き、クリニックを買収し、これからも事業形態や利益構成は変わり続けるでしょう。アマゾンがあえて決めているのは、常に創業当時の新鮮な気持ちを持つ「Day1」であることです。つまり、既存事業を資産として捉えない姿勢で前向きな投資を続け、取り消し不能なサンクコスト（埋没費用）という考え自体を排除するのです。

言うのは簡単ですが、実際に大組織になってからも、その精神を維持することは簡単ではありません。そのための具体的な行動を考えましょう。

まず、常に実験し続ける姿勢です。10個の実験を行ったとして、9つが失敗しても、1つがうまくいけば十分に他の損を回収できるという考え方です。ベンチャー投資にも通じますが、実行に移している企業は少ないでしょう。

提案についての承認プロセスも重要です。通常は課長、部長、担当役員の全員が承認する必要があるでしょう。承認率をそれぞれ10％だとすると、3人全ての承認を得る確率は0・1％になってしまいます。石橋をたたきすぎたような取り組みしか通過できず、ようやく承認を得ても、そのころには他社は追いつけないほど先を行っているかもしれません。

しかし、会議参加者の誰か一人でも賛同すれば実験を始めることができるのなら、承認を得る確率はグンと上がります。

「それ見たことか」という後だしの批評も意味がありません。事前に建設的な議論が必要なのです。特に、大組織ではビジネスを育てた経験がある人は多いですが、自分でゼロからビジネスをつくったことのある人は少ないでしょう。大きな機会を逃さない仕組みが重要です。

失敗の学びを次に活かす

重要なのは挑戦者をたたえることです。例えば、アマゾンの新規事業に「Fire Phone」というスマートフォンがありました。1年で販売中止に追い込まれましたが、担当者は昇進したとされます。

重要な課題に挑戦して、うまくいかなかったとしても、その学びを次に生かすことを奨励する姿勢です。この場合の知見はアレクサを搭載した「Ｅｃｈｏ」のヒットにつながりました。挑戦者を奨励する仕組みはどの企業にも必要です。

減点主義と対立する考え方なので、企業の文化そのものを変えなければいけません。たとえれば、競技種目が野球からサッカーに変わったにもかかわらず、いまだにサッカー選手をどれだけ得点機会を創出したかではなく、打率で評価しているようなものです。


また、10年後も「真実」であろうと思われることを追求することも重要です。これからの情報端末の進化が、腕時計型かメガネ型かはまだわかりません。しかし、オンラインで購入した商品の配達は、早ければ早い方がよく、質のよい日用品の価格はできれば安い方がいいといったことは、10年後も重要でしょう。

その実現に近未来の技術を試すのです。うまくいかなければひっそりと撤退すればよいのです。そうした試行錯誤が常態化し、たまにヒットやホームランが出る文化をつくらなければ、進んで実験に挑む社員は出てこないでしょう。

その実験の中から、年会費制のアマゾンプライムや、動画のプライムビデオ、電子書籍のキンドル、クラウドのＡＷＳなどの新サービスが生まれました。現在のアマゾンの最高経営責任者（ＣＥＯ）は、ＡＷＳの開発に関わったアンディ・ジャシー氏です。新規事業の成功は、次の経営層に入るための必須体験になりつつあります。

新規事業の立ち上げや、子会社の経営経験がないまま出世してしまうことは、バスの後部座席から運転席に、いきなり移るようなものです。見よう見まねの運転ではなく、子会社や新規事業といった小さい車で、実際のハンドルさばきを経験しておくべきです。

ビジネスモデルの再定義が重要

デジタルにうまく対応できないのはなぜでしょう。技術の門外漢である経営陣は、著名な「専門家」に頼ろうとします。しかし、知名度が高くても、技術を用いたビジネスに精通しているとは限りません。

書店には「Ｗｅｂ３」や「メタバース」など、一見すると新技術に思える書籍が並んでいます。しかし、技術に疎い人はこうした書籍に飛びついてはいけません。やるべきことは、過去も含め関連する技術の興廃を学び、これからの展望を把握することでしょう。その素地があった上で初めて、新しい技術の目利きができるようになります。

最も気をつけるべきは「後発性の利益」への誤解でしょう。「その技術なら、今からでも勝てます」という言葉に、魅力を感じたことはないでしょうか。

後発性の利益とは、銀行口座が行き渡らない発展途上国などで、携帯電話での送金サービスが普及するというように、新しい技術が一足とびで普及することです。それによって経済活動は前進しますが、ビジネスとしては世界一にはなれないでしょう。なぜなら、その技術自体が外部で開発されているからです。

重要なのは、どのようなビジネスモデルを構築するかです。日本は21世紀に入ったころ、ブロードバンドやモバイルというインフラでは世界の先進国でした。しかし肝心のソフトウェアやデータサイエンスでは、人材不足と既存の大企業経営陣の理解のなさにより、iPhoneの大ヒットを許し、インフラを最大限活用した外資系企業に利益の大半を占められました。

インフラの構築だけで満足せず、実際に売り上げが継続的に伸びるビジネスモデルをつくらなければならないのです。日本のエンジニアの賃金が上がりづらい一因はここにあります。

DXを進めようとして、他社の製品を導入するだけのデジタル化では意味がありません。そもそものあるべき姿（パーパス）を、経営陣や社員が徹底的に共有した上で技術を取り込まなければ、自社のビジネスモデル再定義は非常に難しくなります。

多くの技術は幻滅で終わる

「Ｗｅｂ３」や「メタバース」など新しいテクノロジーが登場した際に重要なのは、「これまでの技術と何が違うか」という差分に着目することです。Ｗｅｂ３の本質は、15年ほど前に誕生したブロックチェーン（分散型台帳）技術で構築された仕組みです。技術と概念を分離すれば、決して魔法のようなテクノロジーではないことが理解できるはずです。

２００５年ごろに起きた「Ｗｅｂ２・０」の議論は、ブロードバンドの普及など、技術的な変化をもとにした双方向性の議論でした。これに対しＷｅｂ３は、一部の技術者が取り組んでいたものが、21年に突如として注目されました。

Ｗｅｂ３が持続的に普及するかどうかは不明瞭です。固有の価値をブロックチェーン技術で証明するＮＦＴ（Non-Fungible Token：非代替性トークン）や、ＤＡＯ（ダオ：分散型自律組織）のコンセプトは目新しいものですが、成功事例は少ないようです。

メタバースも同様でしょう。メタバースは「メタ（meta：超越した）」と「ユニバース（universe：宇宙）」を組み合わせた造語で、インターネット上の仮想空間で様々な活動ができることを表す概念です。つまり、技術ですらありません。

フェイスブックが21年10月、社名を「メタ」に変更し、メタバース事業に注力すると宣言したことで、一気に関心が高まりました。巨大トレンドになると期待されましたが、米国では早くも停滞フェーズに入ったようです。概念が先行し、テクノロジーの実態が伴わないからです。

テクノロジーの普及については、成熟度や社会への広がりなどを示す「ハイプ・サイクル」が知られています。新たな概念の登場による興奮が幻滅に変わり、やがて安定する姿が描かれています。すべての技術が潜在性を発揮して普及するわけではありません。多くの技術は幻滅したままで終わってしまうのです。

「とりあえず取り入れよう」と飛びつくのではなく、「今の事業の、どの部分となら かみ合うか」という視点で、新しいテクノロジーやトレンドを見る目を養わなければ なりません。

リスキリングに必要な発想

新たな事業に取り組む際に、「これは長期的な取り組みだから」という言葉をよく耳にします。しかし、事業によっては数年をメドに売り上げがたつかどうか読みきれなければ、いったん撤退し、条件が変われば再参入した方がメリハリがききます。ダラダラと取り組み続ける方がデメリットが多くなるのです。

「面倒なことはおまかせ」という体質も問題です。先端技術を扱うスタートアップ企業と協業する場合、自己資金を活用するＣＶＣ（コーポレートベンチャーキャピタル）

の業務を外注するのは、楽なように見えて何も生まないことが多いのです。しっかりとした人材を自社で雇い、そのスタートアップを買収するぐらいの体制でなければ、本来の意義の大半を失います。

政府はスタートアップ育成5カ年計画をまとめました。これからベンチャーキャピタルとの協業も増えるでしょうが、「面倒なことはおまかせ」という日本企業にまん延する考え方は、克服すべき課題です。

そうした中で、「リスキリング」という言葉が広がっています。知識や知恵が足りないなら、学び直せばよいというものです。「ジョブ型」「メンバーシップ型」という雇用形態から考えると、求められるのは緊張感があるジョブ型に近い発想でしょう。

新しい知識や知恵を獲得し続けるというのは、スポーツ選手が試合に向けて常に緊張感を持ってトレーニングを続けるようなものです。普段から社内だけでなく、社外でも学び続けている人には当たり前ですが、学校を卒業してからも学び続ける人や、時には年下の人からも学ぼうとする人は、極めて少数なものです。

知識はただ座っていれば降ってくるものではありません。本当の学びは、自分で仮説を立てた上で取りに行くものです。本人が納得して「何を学ぶべきか」を目利きし、行動しなければ、仕事に活かすことは難しいのです。「リスキリング」という言葉だけに踊らされてはいけません。時には、リスキリングの成功体験を持つ外部の人と腹を割って話せる環境を整え、成功に導く手助けも必要でしょう。

素早く経営ビジョンを描く

新しいトレンドやテクノロジーは、その将来を冷静に予測しなければなりません。核になる可能性のあるＡＩやクラウドの進化を追えば、視界は良好になるでしょう。日本の企業が新しい技術の導入に遅れれば、いち早く導入した国や企業にはどんどん差をつけられます。常に先端企業の動向をつかむ必要があります。

グーグルのスンダー・ピチャイ最高経営責任者（ＣＥＯ）はChatGPTを、「検索サービスの脅威になるかも」と考え、対策を進めるよう、即座に指示したとされます。このような素早い対応が求められます。

過剰な期待値を拭い去り、その核にある技術をフラットに見極めること。テクノロジービジネスの理解はこれからの全てのビジネスパーソンに必須です。テクノロジービジネスは、外部の業者や専門家に丸投げしても理解できません。あくまでも自分で考え、大枠をつかまなければいけません。

また、大事な変化はメディアや政府が伝えてくれるという受け身も危険です。テクノロジーの変化の震源地は、今や日本ではないことがほとんどです。例年1月に米国のラスベガスで開かれる世界最大級のテクノロジー見本市「ＣＥＳ」に足を運べば、いかに日本が諸外国に差を付けられているかがわかります。

技術自体が素晴らしくても、ビジネスへの実装というところで、世界の潮流が読めないと外貨は稼げません。誰かが正解を知っているはずという視点や、正解が出てから追いつけば間に合うという考え方は、もはや通用しません。

ビジネスの前提条件が変わり続けることを想像し、それに合った形で自分たちのサービスを打ち出していく。「テクノロジービジネス音痴」から脱却し、自分たちで経営ビジョンを描くことが求められます。

日本のスタートアップ支援

政府や東京都が続々とスタートアップ支援策を打ち出しています。参考になるのは日本と同様に保守的でありながらスタートアップの文化を取り込み続けているフランスや韓国でしょう。海外の力を借りて日本の良さを捉え直す必要があります。

フランスのパリで最新技術の見本市「VivaTech（ビバテック）２０２３」が２０２３年６月に開催されました。有力企業やスタートアップなど２０００社以上の企業と投資家が出会うグローバルな展示会です。

23年は45歳のマクロン仏大統領はもちろん、セールスフォース・ドットコム創業者のマーク・ベニオフ氏、そしてテスラの最高経営責任者（CEO）のイーロン・マスク氏も現地にやってきて講演したイベントと聞けば、注目度の高さが伝わるのではないでしょうか。

もちろんマスク氏をはじめとする有力経営者がボランティアでやって来るわけではありません。テスラのバッテリーやTwitterの経営方針についてマクロン大統領と直接交渉できるという実務的なメリットがあるから訪れてきたわけです。

また、展示する企業もフランスのスタートアップだけではありません。高級ブランド世界最大手LVMH（モエヘネシー・ルイヴィトン）など、フランスならではの有力大企業や欧州各国もブースを設けています。展示そのものは別の展示会でも見かけるものに近い内容もありますが、まとめて多くの人や情報に触れる機会だからこそ、その価値が高まります。

23年で7回目を迎えて巨大イベントに成長したビバテックですが、マクロン氏が大統領に就任してからはスタートアップのエコシステム（生態系）の発展を促す公的機関「French Tech」を設立。フランス国内のスタートアップ企業を後押しするのみならず、海外のスタートアップ企業にも資金やビザ取得などの支援を積極的に提供しています。

国家の経済に活力を与え続けるにはスタートアップ企業の活躍も重要です。スタートアップエコシステムを作り上げることによって、イノベーションや雇用の創出にも大いに貢献します。

イタリアなどの他の欧州国が生成ＡＩに一時警鐘を鳴らしたのとは対照的な動きもありました。23年のビバテックでマクロン大統領は、スタートアップ企業向けに70億ユーロ（約１兆１５００億円）の資金を供給することを公表。また、ＡＩ分野の整備のために5億ユーロ相当の追加資金投入や、ファンドの立ち上げによる支援を行うことも明言しました。

しかもフランスのＡＩスタートアップ「ミストラルＡＩ」は創業わずか4週間で欧州史上最大規模となる1億５００万ユーロを調達しました。こうしたこともフランスのスタートアップにとって大きな弾みになっています。

韓国スタートアップも注目

いま日本に必要とされているのは、このような大型スタートアップの成長と、政府だからこそできる海外の要人との実のある交渉でしょう。放っておくと政府と利害関係者だけが得をする利権化が進んでしまい、結局「やった感」だけで終わりかねません。見せかけの相関関係ではなく、政策との因果関係を十分に確認した上での支援を行わなければなりません。

ビバテックで目を引いたのは、韓国のスタートアップ企業の存在感です。韓国から45社もの将来有望なスタートアップが参加し、スタートアップエコシステムのさらなる構築と進展に力を入れるようです。

韓国経済は財閥が根強いという文化がありますが、一方で経営者の一族内で代替わりが進むにつれて比較的テクノロジーや英語にも強い、若いリーダーが誕生しています。そのこともあり、スタートアップの協業や新しいテクノロジーとの連携が進みつつあります。

ちなみに、現在の韓国では企業評価額が10億ドルを超えるユニコーン企業が続々と誕生しています。その数はすでに日本を上回っています。官だけではなく、民間や大学もエコシステム構築に注力し、海外市場に打って出る施策が功を奏し始めています。

日本に求められる期待感の醸成

翻って、日本のスタートアップエコシステムの現状はどうでしょうか。ビバテックとほぼ同時期に米調査会社が発表した世界の都市別スタートアップエコシステムのランキングの最新版では、シリコンバレーやニューヨーク、ロンドンが相変わらず上位に君臨しています。

東京はというと、2022年の12位から23年は15位へとランクダウンしています。これは日本の取り組みが進んでいないというよりも、他国の取り組みが先行しているためとリポートは説明しています。

米中関係が冷え込むと同時に経済状況も停滞している中国においては、23年6月に有力ベンチャーキャピタルである米セコイア・キャピタルが中国事業を分離すると発表しました。こうした影響もあってか、中国の主要都市もスタートアップエコシステムでの順位を落としています。

この数字に一喜一憂する必要はないものの、フランスのようにスタートアップを盛り上げるための工夫の余地はまだ多くあります。スタートアップの市場を盛り上げていく際に大切なのは期待感の醸成と継続性です。

かつて東京・渋谷ではスタートアップ企業が集積する「ビットバレー構想」が盛り上がった例がありました。大阪では2013年当時の市長だった橋下徹氏が国際イノベーション会議「Hack Osaka」というイベントをスタートさせて英語でスピーチをしました。

経済や政治的な情勢によって一時停滞してしまった経緯はありますが、海外の試行錯誤を参考に、2025年日本国際博覧会（大阪・関西万博）など大規模な開発イベントと合わせて国際化や継続性のあるものをつくっていかなければなりません。最近では21年末に起きたようなSaaS（ソフトウェア・アズ・ア・サービス）関連企業の大幅な株価下落や経済環境の急激な変化が、生成AIといった新しい分野でも起きかねないからです。

日本でビバテックのような国際見本市を開催するのであれば、世界にも名の知られたグローバル企業や、日本の有力コンテンツの魅力を発信する必要があるでしょう。

例えばスーパーマリオやポケモンといったコンテンツを擁する任天堂のほか、23年6月17日に米国のタイムズスクエアの広告をジャックした「鬼滅の刃」を支援するソニーグループ、米国でもヒットしたゴジラマイナスワンを展開する東宝のような国際的ヒット作を支援する先鋭的な企業が出展するかどうかが、海外からの来場者の期待を左右するでしょう。サウジアラビアはそこに目をつけドラゴンボールのテーマパークの建設を発表しています。他にも可能性のあるコンテンツは日本には多いのです。

クリエーターを呼び込むという意味では、スイスの都市バーゼルが海外都市と提携しながら開催しているアートのイベントである「アート・バーゼル」も参考になるでしょう。

フランスと韓国に共通するのは、経済の衰退や通貨危機によって国のトップ層が切実な危機感を抱いているという事実です。技術がめまぐるしく変化と進化を遂げる中で、テクノロジー企業や海外を味方につけて売り込むという意志を国のトップ層が明確に行動で示すことが重要といえます。

現在の最先端技術として注目を集める生成ＡＩであれば、日本にはＡＩを活用できるアニメや漫画などの良質なコンテンツが過去の作品も含めて大量にあふれています。海外のエンジニアやクリエーターが日本に来ることによって、日本人が思いつかないようなコンテンツの着眼点が見いだされるかもしれません。日本人の大半が東京・渋谷のスクランブル交差点の光景を当たり前に思っていても、海外からすると非常に面白い光景と捉えられることに似ています。

日本の人口は1億人強ですが、海外の人口は80億人です。インバウンド需要が今後伸びることに合わせて、世界中の目を通して日本のエコシステムを捉え直してみる。そんな試みがますます重要になっていくでしょう。

著者紹介

山本康正（やまもと・やすまさ）

京都大学経営管理大学院客員教授

1981年、大阪府生まれ。東京大学で修士号取得後、三菱東京UFJ銀行（現・三菱UFJ銀行）米州本部にて勤務。ハーバード大学大学院で理学修士号を取得後、グーグルに入社し、フィンテックやAIなどで日本企業のデジタル活用を推進。京都大学大学院総合生存学館特任准教授も兼務。主な著書に『2025年を制覇する破壊的企業』（SB新書）、『2030年に勝ち残る日本企業』『入門 Web3とブロックチェーン』（ともにPHPビジネス新書）などがある。

本書についての感想やお問い合わせなどがありましたら問い合わせフォーム https://bit.ly/30z56tmかyamamototech2020@gmail.comまでご連絡ください。

Google vs Microsoft
生成AIをめぐる攻防

2024年5月15日　1版1刷

著　者　山本 康正

発行者　中川ヒロミ
発　行　株式会社日経BP
日本経済新聞出版
発　売　株式会社日経BPマーケティング
〒105-8308　東京都港区虎ノ門4-3-12
装　幀　沢田幸平（happeace）
D T P　朝日メディアインターナショナル
印刷・製本　三松堂
写　真　Shutterstock

ISBN978-4-296-12030-7　Printed in Japan

本書籍に関するお問い合わせ、ご連絡は下記にて承ります。
https://nkbp.jp/booksQA